EL LIBRO DE SAN CIPRIANO

EL LIBRO DE MAGIA: EL TESORO DEL HECHICERO,
EL LIBRO INFERNAL O EL GRIMORIO DE SAN CIPRIANO

El Libro de San Cipriano:
El Libro de Magia: Tesoro del Hechicero, El Libro Infernal o El Grimorio de San Cipriano o El Ciprianillo

Primera edición digital: 2023

©ISBN: 978-987-48921-8-8

Ilustraciones: A.M. Rothman

Editor: A.M. Rothman
Selección y compilación: A.M. Rothman
Editorial: animatarot.com

Hecho en la Argentina

www.animatarot.com

INDICE

SOBRE ESTA EDICIÓN

En la presente edición se cumple con el objetivo de preservar y rescatar el libro de Cipriano en su forma original.

Si bien se agregaron nuevas ilustraciones para dar vida y se corrigieron errores, se ha mantenido lo más fiel a la edición original, con sus textos y formas, así como ilustraciones y dibujos originales.

En muchas otras ediciones, se podrán encontrar del libro, textos añadidos, pero estos no corresponden con el original, con lo que alteran el sentido y poder del texto original.

El uso de este libro y su conocimiento queda a completa responsabilidad del lector, entendiendo todos los peligros, daños y maldiciones que estos traen.

Si bien puede tener la curiosidad se recomienda tener más aún mucho cuidado de lo que se podría aprender.

Ahora bien, si usted querido lector decide utilizar esto con responsabilidad, fe y buen corazón, aun así le recomendamos tener cuidado.

- El Editor

INTRODUCCIÓN

El libro de San Cipriano, también conocido como *El Tesoro del Hechicero, El Libro Infernal o El Grimorio de San Cipriano* es una fascinante compilación de textos antiguos sobre magia, cabalísmo y ocultismo, atribuidos al famoso Santo.

Con una historia fascinante, pocos libros atesoran tantos enigmas y leyendas como *el Libro de San Cipriano.*

San Cipriano es una figura fascinante en la historia de la fe y de la magia. Antes de ser santo y mártir, fue conocido como Cipriano el Mago, y a quien se le atribuye la autoría de este libro

La leyenda dice que recopiló sus conocimientos de ocultismo, invocaciones, y hechicería en estos textos, que se conocería con el paso de los siglos como *el Libro de San Cipriano.*

Pronto el libro se clásico del ocultismo, y está destinado a quienes buscan una comprensión más profunda de las artes ocultas, y desean expandir su conocimiento sobre la magia y otros fenómenos del ocultismo.

Hoy en día, San Cipriano es reverenciado como el santo patrono de los brujos y magos, debido a su vida previa a la conversión cristiana, quien fue un maestro consumado en las artes mágicas y ocultas. Esta combinación única de divinidad y misterio es la que hace a San Cipriano una figura tan intrigante, así como un referente del ocultismo.

En la presente edición se cumple con el objetivo de preservar y rescatar el Libro de Cipriano en su forma original. Este libro es la redición de la antigua y popular edición latinoamericana, que consta de 3 partes y es la fusión de varios textos de San Cipriano.

¡El Libro de San Cipriano una puerta al mundo místico y del ocultismo!

HISTORIA DE SAN CIPRIANO

A LOS FIELES LECTORES

Aquí os presento un libro de un valor inestimable, el "Tratado completo de la verdadera Magia", escrito por el monje alemán, Jonas Sufurino. Mi afición a este género de trabajos me llevó siempre a rebuscar entre los montones de libros viejos, afanoso de encontrar algo que fuera poco conocido en esta materia.

Después de muchos años de fatigosas investigaciones han resultado premiados mis esfuerzos. El hallazgo del "Tratado completo de verdadera Magia" me llenó de satisfacción inmensa.

Lo encontré entre otros de distinta especie, en la pequeña librería de un cura de aldea. Estaba escrito en alemán, lengua para, mi completamente ininteligible. Pero, por algunas figuras que se intercalaban en el texto, y por algunos nombres propios, salpicados aqui y allá, deduje que el extraño opúsculo trataba de Magia. Dilo a traducir a un erudito, quien ha llevado a efecto su trabajo con escrupulosidad suma. Leída por mí la traducción, he visto que dicho librito es en realidad inapreciable.

Compuesto por el referido monje alemán Jonás Sufurino, bibliotecario del convento del Broken, montaña donde, según antiguas leyendas, los diablos y las brujas celebraban sus aquelarres y danzas macabras, resultó ser un riquísimo tesoro de verdadera Magia.

En dicho librito se contiene, en efecto, lo más esencial que suele encontrarse en los de género, como el "Libro de San Cipria" no", "La Clavícula de Salomón", "Invocaciones, pactos y exorcismos", "La gallina negra o escuela de sortilegios" , "El Gran Grimorio o el pacto de sangre". Candela mágica para descubrir encantamientos". "Recopilación de la magia caldea y egipcia, filtros, encantamientos, hechicerías y sortilegios".

Con lo expuesto bastará para comprender que este es un tratado de excepcional importancia, y que, si se estudia con verdadero interés, podrán aprenderse muchas cosas útiles y provechosas.

Sólo me resta recomendar se ponga gran cuidado en la forma y tiempo de hacer los experimentos, para que éstos den el resultado que se desea, pues no debe olvidarse que un pequeño detalle es bastante muchas veces, a inutilizar la operación mágica mejor preparada.

EL TRADUCTOR.

AL MUNDO TODO

Yo, Jonás Sufutino, monje del monasterio del Brooken, declaro solemnemente, postrado de rodillas ante el firmamento estrellado, que he tenido tratos con todos los espíritus superiores de la corte infernal. Ellos me han mostrado este libro, escrito en pergamino inmaculado con hebreos caracteres.

Yo expongo al orbe entero que lo que en este libro se contiene es verdad. Yo era un incrédulo, pero la evidencia me sacó de mi error. Aficionado desde niño al estudio de las ciencias, cuando llegué a la edad de hombre no había conocimientos que yo no hubiese profundizado. Pero en el fondo de todos ellos encontraba el vacío. Mi alma entonces se agitaba, sedienta por descubrir la suprema verdad secreta. Cuando profesé de monje en el monasterio de Brooken, consecuente con mis aficiones, solicité el cargo de bibliotecario, y allí, en su vasta y antiquísima biblioteca, me aislé por completo, pasando los años en los más profundos y misteriosos estudios.

Había allí innumerables volúmenes que trataban de las artes mágicas. La simple lectura de algunos de ellos me convenció de que allí se hallaba lo que buscaba. Yo me hacía las siguientes reflexiones: no hay duda que existen los espíritus buenos y malos, y que están en relación con los hombres. No hay duda tampoco de que estos espíritus pueden aparecérsenos, puesto que al mismo Hijo de Dios se apareció el diablo momentos antes de su muerte: no hay duda que dichos espíritus están dotados de una inteligencia soberana, puesto que la misma religión les da el poder de tentarnos, de inducirnos al bien o al mal; luego, si por medio de la magia puede el hombre ponerse en relación con estos espíritus, ese hombre logrará alcanzar la suprema sabiduría.

Me hacía yo todas estas reflexiones en mi celda solitaria y entre los polvorientos libros de mi biblioteca; pero aún no me había atrevido a poner en práctica los medios que me condujeran a tal fin. Decidí, pues, ejecutar al cabo mi proyecto.

Era una noche del helado invierno. El cielo aparecía negrísimo, cubierto de enormes nubarrones que por momentos se veían desgarrados por la rojiza luz de los relámpagos. Silbaba horrible' mente el viento entre los pinos de la montaña. La lluvia azotaba los vidrios góticos de las ventanas del monasterio. Yo no tenía miedo. Esperé a que fuera media noche. Cuando todos los monjes se hallaban recogidos en sus celdas, y acaso dormían, dejé yo silenciosamente el convento y emprendí la marcha hasta la más alta cima de la montaña. Cuando estuve en lo más alto, me detuve. Los relámpagos cruzaban incesantemente por mi cabeza. Yo persistía en mi propósito de invocar al rey del Averno. El huracán se estrellaba contra mi cuerpo, y retorcía furiosamente mi hábito monacal. Pero yo firme como una de las rocas que tenía bajo mis pies, ni me amedrentaba, ni vacilaba en mi empresa. Juzgué entonces llegado el momento de llamar al diablo.

— Si es verdad que existes — grité con voz tonante — oh, poderoso genio del Averno, preséntate a mi vista.

Y al punto, en medio de un relámpago formidable, se apareció el espíritu infernal que había yo invocado.

— ¿Qué me quieres? — dijo.

— Quiero — le respondí sin inmutarme — entrar en relaciones contigo.

— Concedido — repuso — Vuélvete a tu celda. Allí me tendrás siempre que desees. Pues sé lo que quieres, te revelaré todos los secretos de este mundo y de los otros. Te entregaré un libro que será como el catecismo de las ciencias secretas, catecismo que sólo podrán comprender los iniciados.

Y desapareció. Yo torné a mi monasterio. Volví a ver a mi grande y misterioso amigo siempre que me fue necesario. El, en fin, me ha revelado el libro que dejo a la posteridad, como la llave de oro que abre y descifra los supremos arcanos de la vida y de la naturaleza, completamente ignorados para los seres incrédulos o vulgares. Vale.

Monasterio del Brooken. Año de Gracia, 1001.

JOÑAS SUFURINO.

INTRODUCCIÓN

Donde se verá cuál fue el origen y fundamento de este libro

Habiendo solicitado de Lucifer el cumplimiento de la promesa que me había hecho invocado entre la tempestad y sobre la cima de la montaña, me entregó un libro escrito en caracteres hebreos sobre pergamino virgen, diciéndome:

— Este libro, escrito en hebreo, es el mismo que poseía el gran Cipriano, y a quien le fue concedido por mí, obligado a ello por virtud de un poderoso talismán que poseía.

A él sirvió para adquirir los conocimientos de la "verdadera magia" con los cuales pude tener el dominio sobre los espíritus y las personas. Por su mediación llegó a ser todopoderoso, lo cual lograrás tú también, si meditas y ejecutas cuanto en este libro se contiene. Debo advertir que no se apartará de ti jamás y aun cuando quieras quemarlo o echarlo a un río, volverás a hallarle siempre en el aposento que te sirva de dormitorio.

Quedé muy admirado oyendo estas palabras, y le pedí satisfaciera mi curiosidad, explicándome la causa de tal prodigio.

— Es muy sencillo —me dijo— Este libro está bañado en la gran laguna de los Dragones Rojos que existe en mis dominios, por lo cual es imposible que ninguno de los elementos del universo pueda destruirle. Sus hojas no pueden ser cortadas ni taladradas. El fuego se apaga a su tacto y el agua no le hace mella.

¿Y cómo me explicáis — le pregunté — que si lo tiro lejos se vuelve a mi aposento?

— Sois muy curioso, pero hoy quiero complaceros en todo. Este libro lleva entre sus hojas los signos cabalísticos del Dragón rojo y de la Cabra infernal, o cabra del arte, y por las virtudes mágicas de éstos, se trasladará siempre a vuestro aposento y os acompañará a todas partes, permaneciendo invisible para todos menos para ti y para los que hayan hecho pacto conmigo. Haced con él cuantas pruebas queráis y observaréis grandes maravillas.

Dicho esto, desapareció.

Quedé tan trastornado al oír estas revelaciones, que pasé un gran rato sin darme cuenta de lo ocurrido, hasta que por fin me fijé en el libro que estaba al alcance de mi mano y parecía incitarme a que lo leyera. Luchando estaba entre el temor y la curiosidad de abrirle, cuando recordé que Lucifer me dijo estaba escrito en hebreo, lengua no conocida por mí, por lo que ya más tranquilo, levanté la primera hoja, esperando hallar signos que no había de entender.

No fue así, sin embargo, pues con gran admiración pude leer perfectamente lo escrito, con igual facilidad que si leyera un libro en mi idioma. Volví varias hojas y hallé en una de ellas perfectamente dibujados un dragón y una cabra en actitud tranquila y colocada ésta sobre aquél.

La cabra tenía trazados sobre sus rodillas unos jeroglíficos que decían "Arte". Todo me parecía extraño y sin embargo todo me iba siendo familiar a medida que lo miraba: pero todavía me estaba reservada la mayor de las sorpresas. El dragón y la cabra empezaron a animarse, a mover los ojos, a aumentar de tamaño y.

finalmente, saliendo del libro, se prosternaron ante mí diciendo cada uno con voz humana.

— Soy tu siervo, manda y serás obedecido.

La voz de la cabra tenía un timbre parecido al balido de la oveja y la del dragón era bronca y gruesa como el mugido del toro. Quedé sobrecogido con lo que presenciaba, pero al contemplar la actitud humilde de aquellos animales, saqué fuerzas de flaqueza y les dije:

—Nada deseo ahora; pero si quiero que me digáis cómo os he de llamar cuando necesite de vosotros, y qué clase de servicios podéis prestarme. La cabra, tomando la palabra por los dos, me dijo:

— Yo me llamo Barbato y éste es Pruslas; estamos bajo la jurisdicción de Satanachia, nuestro jefe, que es ayudante del gran emperador Lucifer y gran general de sus ejércitos. Nos ha mandado a tu lado para obedecerte en todo, siempre que lo que nos mandes sea conforme al pacto hecho con nuestro soberano Señor. Constantemente nos tendrás a tu lado y bastará que nombres a uno, para que nos pongamos los dos a tus órdenes.

— Está bien — les dije — podéis retiraros.

No bien hube pronunciado estas palabras, cuando sin saber cómo, desaparecieron de mi vista.

Tratando de distraerme de tantas emociones, salí a dar un paseo, y a medida que la reflexión entraba en mi ánimo, me iban pareciendo más naturales los maravillosos acontecimientos que me habían ocurrido.

Después, y a medida que me fue necesario recurrir a mis siervos o a sus jefes superiores, pudimos tratarnos como verdaderos amigos, sin sorpresas ni temores de ningún género. Con objeto de estar precavido para las contingencias del porvenir, me propuse sacar una copia del contenido del libro cuya portada dice:

"Tratado completo de verdadera magia o tesoro del hechicero".

Hay una dedicatoria de la siguiente forma:

"Dedicamos este libro al nuevo adepto en las ciencias desconocidas".

Lucifer.

Debajo de esta dedicatoria contiene la siguiente nota:

"Declaro que este libro me ha mostrado la verdadera sabiduría, logrando con su estudio un dominio absoluto sobre todo lo creado".

Cipriano el Mago.

Ahora y con objeto de llevar un orden metódico, creemos conveniente indicar algo sobre la vida de Cipriano el Mago (luego San Cipriano), la cual, si bien es ajena por completo a esta obra, no deja de ser interesante y curiosa.

LA VIDA DE SAN CIPRIANO

El santo que se venera con este nombre, fue antes de su conversión al cristianismo, uno de los magos más famosos de la historia, y fue conocido como el Gran Brujo de Antioquía.

Nacido en Antioquía, entre Siria y Arabia, fue criado en un ambiente totalmente dominado por el paganismo y el ocultismo. de padres muy ricos y poderosos, venció todas las artes mágicas hasta la edad de 30 años en que se convirtió a la religión de Cristo.

Dejó escritos infinidad de libros de hechicería, producto de sus muchos conocimientos y de las propias maravillas que ejecutó en su época de mago, y que causaron la admiración de todas las gentes.

Ejercía un poder formidable sobre los espíritus infernales, que le obedecían en todos sus mandatos. Llegó a efectuar sorprendentes encantamientos.

Tuvo dominio absoluto sobre las personas y los elementos debiéndose su conversión al cristianismo al raro suceso conocido la Leyenda de San Cipriano y Santa Justina.

Veamos en detalle la historia de su vida, para comprender el origen de este maravilloso libro.

INFANCIA

La infancia de Cipriano estuvo profundamente arraigada en los misterios del paganismo y las artes mágicas, ya que sus padres, descendientes de una estirpe antigua de brujos y sacerdotes paganos, lo consagraron desde su nacimiento a la diosa Afrodita, en un acto ritual que marcó su destino y su nombre.

El nombre Cipriano hace referencia a la isla de Chipre (*Kiprian* en griego), lugar de nacimiento mitológico de Afrodita, diosa del amor y la belleza.

Desde una edad temprana, fue iniciado por sus padres en diversos cultos y prácticas esotéricas con el propósito de prepararlo para convertirse en un sacerdote del templo de Júpiter.

Cuando el joven Cipriano contaba con apenas cinco años, fue entregado a los brazos del culto de Apolo, donde aprendió las artes ancestrales del dragón rojo, en un claro simbolismo de la sabiduría, la fuerza y el poder.

Con el paso de los años, el pequeño Cipriano continuó su educación esotérica y pagana durante su infancia y juventud.

Con tan solo siete años, fue introducido en el misterioso culto a Mitras, donde vestía los atavíos de Kore, diosa de la vegetación, y servía a la serpiente de Pallas, un emblema de sabiduría y conocimiento.

Durante este tiempo, estudió la vida de Apolonio de Tiana, de Filóstrato de Atenas, una obra que le sirvió como guía para su formación en el arte de la magia.

Conforme avanzaba su adolescencia, el joven Cipriano tuvo la fortuna de acceder a la "Historia Natural de Plinio el Viejo", un fascinante texto que avivó su interés por el enigmático concepto del dios único.

En Atenas fue consagrado a la cuna de Apolo por sus padres y al cumplir los diez años, fue enviado al Monte Olimpo como su primer acto de iniciación para convertirse en mago.

En este monte, lugar de residencia de los dioses para los antiguos paganos y era donde se afirmaban, había una infinidad de ídolos entre los cuales moraban los demonios.

A este monte enviado para que perfeccionara las artes mágicas en el culto a los dioses, donde fue consagrado en los templos de Démeter y Perséfone, diosas griegas de la agricultura y el inframundo respectivamente.

Según cuenta la leyenda, Cipriano estudió allí todo tipo de rituales y prácticas diabólicas: dominó las invocaciones y transformaciones demoníacas, aprendió a cambiar la naturaleza, enviar enfermedades y plagas a las personas; y en general, aprendió una sabiduría ruinosa y una actividad diabólica llena de maldad.

En este lugar vio una legión innumerable de demonios, con el príncipe de las tinieblas a la cabeza; algunos se pararon frente a él, otros lo sirvieron, otros clamaron en alabanza de su príncipe, y algunos fueron enviados al mundo para corromper a la gente. Y se dice que aquí fue cuando Cipriano aprendió a invocar y hacer pactos con el maligno.

Durante sus años de formación, Cipriano visitó muchos lugares y santuarios secretos antiquísimos de culto pagano durante su instrucción como mago y adquiriendo conocimientos y perfeccionando su destreza.

Se dice que incluso viajó a Argos, a perfeccionarse en el culto a la diosa Juno y que incluso llegó a visitar lugares tan exóticos como Alejandría y el monte Menfis en Egipto, cuyas arenas ocultaban secretos mágicos ancestrales.

Ya más de grande y en su búsqueda de sabiduría, Cipriano visito Évora, una ciudad en la lejana Iberia, donde fue instruido por la famosa bruja de Évora, una figura notoria en el folclore ibérico.

En este enclave de ocultismo pagano, Cipriano se sumergió en un mundo oscuro de artes prohibidas, la leyenda afirma que fue la mismísima bruja de Évora quien entregó a Cipriano un grimorio que contenía todas las claves de las artes mágicas, un libro que se convertiría en la base del conocido *Libro de San Cipriano.*

Con el transcurrir de los años, Cipriano se convirtió en un maestro en el arte de la magia, ampliando su influencia hasta límites insospechados. Sus habilidades le permitían controlar las fuerzas de la naturaleza, los animales, manipular la herbolaria para su provecho, bendecir o maldecir las cosechas, influir en los corazones de las personas, controlar la salud y la enfermedad.

Posteriormente, Cipriano se sumergió en el estudio de la astrología con los Caldeos, aprendió las artes de la necromancia con los goes, de la teúrgia con los neoplatónicos, y devoró los papiros mágicos griegos y demóticos ampliando aún más su conocimiento.

Se rumorea que incluso logró invocar a las fuerzas ctónicas, provocar terremotos y desatar tempestades.

Esta es la historia de Cipriano de Antioquía, quien no es solo una figura histórica, un santo, sino también un símbolo en la constante búsqueda del conocimiento, incluso cuando ese camino puede conducir a la oscuridad.

EL REGRESO A SU TIERRA

A la edad de treinta años, Cipriano regresó a la mítica Antioquía, la ciudad que lo vio nacer y se dedicó a ejercer como Brujo, sumergiéndose plenamente en el oficio de las artes ocultas.

Su renombre y prestigio como mago y hechicero eclipsaba completamente a cualquier rival de su era, y pronto se erigió como un afamado hechicero, pues su conocimiento trascendía lo imaginable.

Se aseguraba que había conversado con los demonios del antiguo rey Salomón y con el mismísimo señor de las tinieblas, Lucifer. Con quién tenía un pacto sellado con el diablo le recompensaba con poder, sabiduría y riquezas a cambio de su leal servicio.

Sin embargo, Cipriano no era un simple mago.

Estando en su ciudad, Cipriano se retiró a una cueva para el estudio y practica de los rituales más oscuros y nefastos.

Según se cuenta, allí bajo el manto de la oscuridad, ofrecía sacrificios tanto de animales como humanos, así como otros favores para acercarse al Maligno, quien a cambio le otorgaba numerosos conjuros que luego Cipriano inscribiría en los pergaminos que constituirían su legendario grimorio, *"El Libro de San Cipriano"*.

LA LEYENDA DE SAN CIPRIANO Y SANTA JUSTINA

Según cuenta la leyenda, un día, a la salida del templo de Mercurio, se le presentó un joven, Agladio. Este, desesperado, solicitó a Cipriano que utilizara sus artes ocultas para conquistar el amor de la joven y bella Justina, una recién convertida al cristianismo después de oír predicar a San Praelio acerca de la vida, pasión y resurrección de Jesucristo. Sus padres, Edesio y Cledonia, habían hecho un viaje similar de lo pagano a lo cristiano.

El joven Agladio, incapaz de soportar el rechazo de Justina, la raptó con la ayuda de sus amigos. Pero los gritos de auxilio alertaron a unos transeúntes, quienes acudieron en su ayuda y la liberaron.

Conmovido por la desesperación de Agladio, de poseer el amor de la doncella, Cipriano accedió a intentar doblegar la voluntad de la muchacha.

Intentó innumerables encantamientos y hechizos, pero la fe inquebrantable de Justina en Jesucristo y el poder de su cruz parecían inmunes a todas sus artimañas.

Fue entonces cuando, siguiendo una indicación demoniaca, Cipriano intentó algo más audaz: roció la morada de Justina con un antiguo brebaje, un líquido mágico que despertaría en ella un deseo incontenible por Agladio.

Aquella noche, mientras Justina se arrodillaba en oración, una oleada de lujuria la invadió, y la imagen de Agladio se instaló en su mente.

Sin embargo, clamó a Jesucristo, quien la liberó de la tentación. Frustrado y desconcertado por su fracaso, Cipriano buscó respuestas entre los demonios.

La conversación con el mismísimo Diablo

Al verse vencido por una tan delicada doncella, Cipriano, lleno de furor, se levantó contra Lucifer y le dijo:

—"En qué consiste ¡Oh genio del Averno! que todo mi poder se vea humillado por una tan débil mujer. ¡No puedes ni tampoco con tanto dominio como posees, someterla a mis mandatos! ¿Dime luego, qué talismán o amuleto la protege que le da fuerzas para vencerme a mí y hacer inútiles todos mis sortilegios?"

Entonces Lucifer, obligado por orden divina, le dijo:

—"El Dios de los cristianos es Señor de todo lo creado, y yo, a pesar de todo mi dominio, estoy sujeto a sus mandamientos, no pudiendo atentar contra quien haga uso del signo de la cruz. De esto se vale Justina para evitar mis tentaciones".

—"Pues siendo así —dijo Cipriano—, desde ahora mismo reniego de ti y me hago discípulo de Cristo".

Fue así que, en un susurro que retumbó en la cueva, la voz del mismísimo Lucifer le reveló que la fe inquebrantable de Justina en Jesucristo y la cruz de San Bartolomé que ella portaba eran su escudo contra cualquier hechizo, protecciones y amuletos que Cipriano, también escribió en sus notas.

Pintura de San Cipriano y Santa Justina

La confesión de Cipriano

Ante el temor de que Cristo no le perdonase, según le había amenazado el Diablo, el mago arrepentido hace una confesión detallada de sus pecados y acaba reconociendo sus nefandos crímenes, como el asesinato de personas para ofrecérselos a Plutón y Hécate, la ofrenda de sangre de mujeres vírgenes a Atenea, y el haber sacrificado ancianos en honor de Saturno y Marte. No de otra manera conseguiría la ayuda de innumerables espíritus maléficos y, finalmente, acceder al mismo Satán.

Debido a la gravedad de sus pecados, Cipriano estaba desesperado por lograr la salvación de su alma.

Fue entonces cuando conoce a Eusebio, un anciano y venerable sacerdote que lo acoge y le enseña la infinita misericordia de Dios, recordándole a San Pablo, que también había sido un perseguidor de cristianos antes de su conversión.

Al día siguiente Eusebio y su hijo, acuden junto a Cipriano a la iglesia para iniciar su conversión. Los sacerdotes y los presentes entonaban el aleluya y el mago promete entonces que quemaría todos sus diabólicos libros de brujería.

Cuando Justina se enteró de lo sucedido, inicia una especie de consagración monástica, se corta los cabellos, vende su dote y regala todo lo que tenía a los pobres, iniciando así el camino de la virginidad definitiva. El antiguo enamorado de Justina, Agladio, también se convierte al cristianismo y renuncia al Diablo.

Imitando a Justina, Cipriano reparte sus bienes entre los pobres para permanecer junto a Eusebio y recibir el bautismo cristiano. Finalmente, dedicó el resto de su vida a predicar y convertir a muchas otras personas al cristianismo, donde muere como mártir con santa Justina en defensa de la fe. Es así que, por su pasado, San Cipriano es considerado el patrono de los magos y brujos.

Historia de Cipriano después de su conversión al cristianismo

Un viernes por la noche, Cipriano estaba caminando por una calle desierta cuando se le aparecen catorce fantasmas. Estas apariciones eran brujas que pedían ayuda. Cipriano les contestó que se había arrepentido de sus actos pasados y que se había convertido en un adorador de Jesús Cristo.

Poco después cayó en un profundo sueño en el que se le reveló que la oración del Ángel de la Guarda le liberaría de esos fantasmas. Al despertar tuvo una breve visión del Ángel, así ayudado por las oraciones de San Gregorio y su Custodio Ángel, juró y entregó las almas atormentadas de las brujas".

LOS LUGARES VISITADOS POR CIPRIANO

En el ejercicio de la goetia, Cipriano visitó numerosos lugares, altares y santuarios para convertirse en un gran brujo y lograr su objetivo final, que no era otro que tratar personalmente al Diablo.

Atenas, Egipto o Caldea que representaban los focos de sabiduría antigua del paganismo, fueron los principales lugares visitados Cipriano para su iniciación en las artes demoníacas.

En Atenas fue consagrado a la cuna de Apolo por sus padres y ya de joven lleva a cabo su primer acto para convertirse en mago al subir al monte Olimpo. Allí Cipriano fue testigo de los demonios del aire que se habían ido presentando ante él: *"Vi las Horas y el enjambre de los vientos... vi la multitud de espíritus en lucha... vi a todos los dioses y diosas, pues más de cuarenta días pasé allí".*

El joven mago prosigue su viaje y su iniciación en Argos, donde se convierte en sacerdote durante la fiesta de Eos. Estando ahí, descubre los secretos del cosmos.

En Esparta conoce el culto a Artemis, la naturaleza de las cosas y la variedad de piedras y metales. En Frigia aprende la adivinación y todo lo referente a las predicciones, los cultos, los saberes ocultos y los ritos mágicos de inspiración demoníaca.

Continuando su viaje, Cipriano se presentó ante los egipcios en Menfis, donde consiguió ver cómo actuaban los vicios y males que atormentan al género humano y qué aspecto tenían realmente estos seres (*De Sancto Cypriano*, v. 120-169).

Entre los males que contempló el mago se encuentran:

- La mentira y la lujuria: "Allí vi a la repelente forma de la mentira, la astuta, la lujuria, cubierta de vergüenza y trina: sanguinolenta ... igual al esperma y a la bilis".
- La temible ira, acompañada del seductor engaño: "y vi la matriz de la ira: alada, violenta, bestial. Vi el engaño, que con dulces palabras seduce".
- El "odio inmisericorde" es un símbolo en estado puro, pues su forma es "oscura y ciega", pero "tiene cuatro ojos detrás del cráneo", con lo que "su mirada evitaba la mirada resplandeciente de brillante luz". No acaba aquí la monstruosidad del Odio, pues "miles de pies, de horrible visión, salían directamente de su cabeza", puesto que no tiene entrañas.
- Los celos y la envidia son vicios igualmente repugnantes, si bien "la envidia maldita tiene una lengua similar a una pala", mientras que la Perversidad es "flaca como un cadáver" y tiene "innumerables ojos".
- El monstruoso demonio de la Gula: "Vi el demonio de la Gula con mandíbulas en pecho y

espalda – devorando guijarros y dura tierra y carne en abundancia".

- La avaricia es calificada de "ladrona", y su aspecto es también lamentable y desmejorado por sus apetencias jamás colmadas, sus ojos delatan ese estad permanente de ansiedad.
- La monstruosa fealdad de la vanidad: "de alegre carácter, sin embargo, gorda de cuerpo, pero carente de blancos huesos".
- El culto a los ídolos, la temida idolatría, aparece también "extendiendo sus alas y ensombreciendo el mundo".
- La falaz hipocresía, la calumnia "de larga lengua", la Necedad, "de cabeza diminuta" completan esta terrible visión.

Tras su paso por Egipto, a Cipriano todavía le queda un lugar más por recorrer... Caldea (De Sancto Cypriano, 180 s.) para aprender astrología y culminar su formación.

Al alcanzar los treinta años, abandona "la tierra de los hombres oscuros, dirigiéndose a la antiquísima ciudad de los caldeos, para aprender los movimientos del cielo y sus reglas fijas", es decir, la naturaleza de los astros, seres dotados de razón e inteligencia.

Es precisamente en Antioquía donde Cipriano logra la máxima perfección de sus conocimientos mágicos, pues ahí es donde conoce, finalmente, al Diablo en persona quien, según la leyenda, se presenta ante él con su trono custodiado por una guardia de lanceros. Su presencia era magnífica y la tierra temblaba a su paso. El Diablo, que le conoce, le llama por su nombre, y acaba completando su formación.

Ahora, ya es un brujo completo y está en condiciones de hacer uso de todo su poder (De Sancto Cypriano, 296 s.): *"Abandoné la tierra de los persas y llegué a Antioquía, la gran ciudad de los sirios; aquí perpetré muchos prodigios en brujería y magia demoníaca".*

Sin embargo, era en Antioquía donde le esperaba un destino inesperado.

HISTORIA DEL LIBRO

A menudo referido como *el Gran Libro de San Cipriano*, o *el libro infernal*, este texto es un grimorio reconocido tanto en los círculos hispanos como portugueses.

Se han visto numerosas ediciones y adaptaciones, pasando a ser conocido por varios nombres como "*El Tesoro del Hechicero*" y "*Los Secretos del Infierno*".

Los orígenes de este libro son materia de discusión para todo el ocultismo.

La leyenda narra que, en el año 1001, un monje alemán de nombre Jonás Sufurino interactuó con entidades del mundo infernal que le proporcionaron el libro cerca del monasterio del monte Brocken, un sitio históricamente asociado con reuniones de brujas.

El libro estaba escrito en pergaminos vírgenes con caracteres hebreos. Sin embargo, las primeras referencias documentadas provienen de obras de Heinrich Cornelius Agrippa, donde menciona libros de nigromancia asociados a San Cipriano.

A través de su larga existencia, el libro de San Cipriano se ha bifurcado en dos variantes principales: una orientada hacia la magia negra, alineada con la tradición del Gran Grimorio francés, y otra orientada a la magia blanca, que ofrece protecciones contra el mal de ojo e invocaciones para encontrar tesoros ocultos.

Las ediciones más antiguas que se conocen datan de la segunda mitad del siglo XVIII. Sin embargo, hay pruebas de su existencia previa, como en 1802 cuando un sacerdote de Galicia, Juan Rodríguez de Ferrol, fue acusado de poseer una copia del Libro de San Cipriano, utilizada en su búsqueda de tesoros escondidos.

Las ediciones latinoamericanas, ampliamente distribuidas en la cultura popular de la región, combinan elementos de varios libros.

Es así que el Libro de San Cipriano ha sufrido numerosas reediciones, actualizaciones y adiciones, lo que ha generado una gran variedad de versiones que poco tiene que ver.

Es importante estos textos adicionales que no pertenecen a la versión original y que, en consecuencia, alteran el texto original, su sentido y poder.

Como se mencionó previamente en la introducción, esta edición del libro tiene la finalidad de preservar y rescatar el texto de Cipriano en su versión original.

Y aunque se han añadido nuevas ilustraciones para darle mayor vivacidad y se han corregido ciertos errores, se ha procurado mantener la fidelidad con la edición original en lo que respecta a sus textos, formatos, ilustraciones y dibujos originales.

PRIMERA PARTE

EL LIBRO DE SAN CIPRIANO O EL TESORO DEL HECHICERO

CAPITULO I

CONOCIMIENTOS NECESARIOS PARA EJERCITAR LAS ARTES MÁGICAS.

Aquella persona, varón o hembra, que quiera dedicar su espíritu a las "Artes Mágicas" deberá poseer una verdadera vocación para ello, poniendo toda su voluntad y buena fe en sus ejercicios y prácticas. Es muy importante que no se olvide que los espíritus a quienes invoca en sus pensamientos, y si no se pone a la invocación con todos los sentidos y sin distraer en lo más mínimo su atención del trabajo que ejecuta, en lugar de ser atendida su invocación, será castigada en su temeridad por los mismos espíritus a quienes haya molestado o llamado para pactar con ellos.

Deberás, asimismo, tener presente, que no pueden hacerse, las invocaciones en sitio en que haya cruces o signos bendecidos. La persona que quiera hacer los experimentos deberá estar completamente sola, a no ser que la acompañe persona iniciada en el arte y que tenga hecho pacto con algún espíritu.

El sitio más adecuado para hacer las invocaciones, será siempre la cima de una montaña a cuya falda circule un río, procurando que en sus contornos no haya otra más elevada. Si esto no pudiera ser, se buscará un lugar próximo a un río. donde se crucen dos caminos formando cuatro sendas que vayan en opuestas direcciones; estas sendas representarán los cuatro puntos cardinales del universo, en cualquiera de los cuales pueda hallarse en aquella hora el espíritu con quien se quiere tratar. Es de absoluta necesidad que el río esté muy próximo al punto de la invocación, por ser el agua y el aire los elementos más apropiados a la transmisión del pensamiento, y juegan éstos, en unión de los metales, un gran papel en el ejercicio de las "Artes Mágicas".

Caso de que, por motivo de salud o por otra cualquiera causa, no fuera posible ejecutar la invocación fuera de casa, será preciso escoger una habitación solitaria, revestida de una tela negra por todas las paredes y techos después de hecho esto, se abrirán las ventanas y se dirá la siguiente oración:

"Ya se halla preparado el lugar para los experimentos en él no hay nada bendecido ni signos religiosos; mi alma se halla completamente libre de espíritu divino y dispuesta al pacto con los espíritus del Averno, a los cuales voy a invocar con toda mi voluntad, y sin obedecer a mandatos o imposición de nadie".

Es necesario que no se sienta temor ninguno en aquella hora ni a la aparición del espíritu, pues si es temeroso se expone a ser atormentado por el espíritu mismo que a su conjuro se aparece. El verdadero "iniciado" ha de ser temerario; por consiguiente, el que tiene temor es que, no ejecutará la invocación con la verdadera fe que Lucifer requiere en los que han de pactar con él, y castiga con un sinúmero de sufrimientos y a veces con la muerte a los osados que quieren hacerle juguete de sus engaños[i].

Para que las invocaciones tengan verdadera fuerza, será conveniente poseer algún "talismán" o "amuleto" con los signos cabalísticos de la clavícula, y hacer el trazado del gran círculo, sin olvidar por esto las advertencias anteriores.

En la sección correspondiente a las invocaciones y conjuros se hallará la explicación y modo de ejecutarlas.

CAPITULO II

DE LOS INSTRUMENTOS QUE SON NECESARIOS PARA LAS ARTES MÁGICAS

Esta es la sección más importante de las ciencias ocultas, pues si los instrumentos no tienen la preparación debida, o no están bien grabados los signos que cada uno requiere, carecerán de las suficientes virtudes para los trabajos que con ellos hayan de ejecutarse.

Por esto debe ponerse gran cuidado en su construcción, y después de su conservación y uso. Hecha esta indicación pasaremos a explicar, por orden correlativo, el nombre y fabricación de cada uno de los instrumentos.

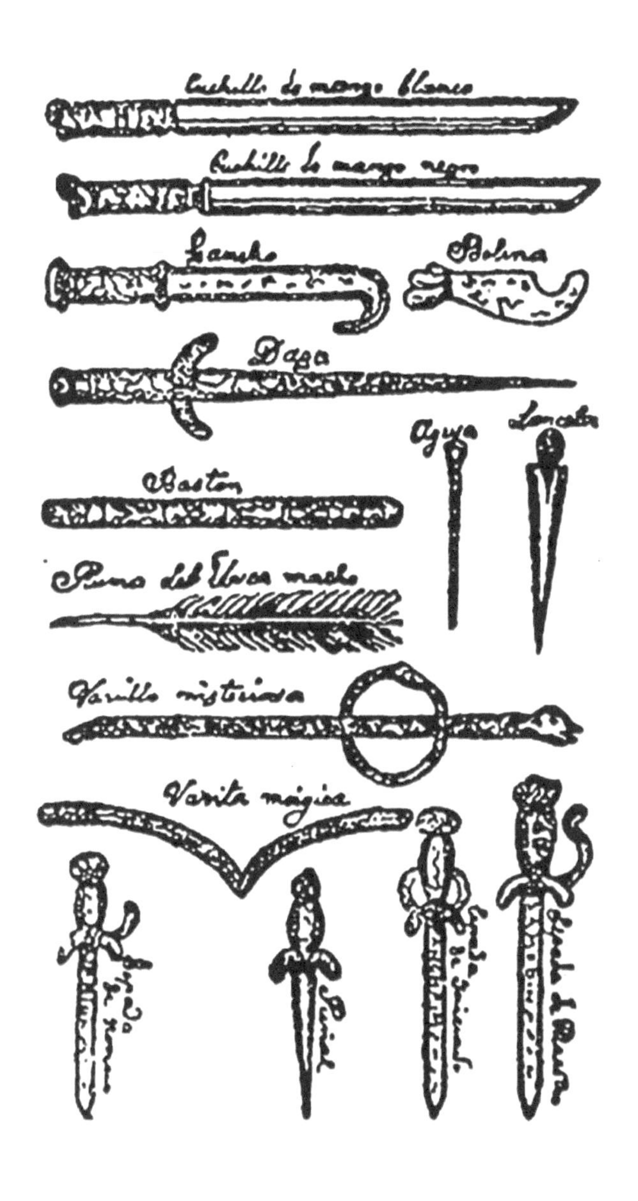

Dibujo original de los diferentes instrumentos

CUCHILLO DE MANGO BLANCO.-En el día de Júpiter, que es el jueves, y en ocasión de estar la luna llena en el horizonte, tomarás un cuchillo de acero nuevo, que no haya sido usado para ningún objeto, y lo meterás en el fuego tres veces. Luego se colocará sobre una disolución de topo y jugo de la planta aromática llamada "Pimpinela" que se tendrá preparada al efecto. Tanto el topo como la planta han de ser cogidos en tiempo de luna llena y en día y hora de jueves, así como igualmente se ha de machacar la planta y sacar la sangre del topo en dicho día y hora de preparar el acero, en ocasión de hallarse la luna sobre el horizonte. Al bañar el acero con la preparación dicha, cortarás con el mismo, un mango de cuerno de macho cabrío, que sea blanco, el cual se habrá preparado poco antes a fin de que posea la virtud necesaria.

(Véase en el dibujo la forma del mango y cuchillo).

Cuando se haya terminado la operación de colocar el mango, se dirá el siguiente conjuro:

"Yo te conjuro y formo, instrumento para que me sirvas en mis trabajos del arte por la virtud e influencia del planeta Júpiter en cuya hora estás fabricado; por la virtud de los elementos, piedras preciosas, hierbas, nieves, granizos y vientos. Es mi deseo que poseas todas las virtudes preciosas para que yo pueda hacer aquellos trabajos que me propongo con verdadera seguridad. A vosotros invoco en este mi trabajo ¡oh!, espíritus superiores, que responderéis a los nombres de Damahu, Lumech, Gadal, Pancia, Valoas, Marod,

Lamidoch, Ancretán, Mitrán, y Adonay para que me ayudéis en todos los trabajos que me propongo realizar para poder llegar al conocimiento de las ciencias que vosotros poseéis y cuyo "primer paso" doy en esta hora solemne".

Hecho esto colocarás el cuchillo en una bolsa larga de seda roja y lo perfumarás con polvos de rosa y de lirio de Florencia, teniéndolo muy guardado para cuando haya de usarse.

CUCHILLO DE MANGO NEGRO.—El cuchillo de mango negro debe hacerse el día de Saturno, que es el sábado, siguiendo el mismo procedimiento que para el cuchillo de mango blanco, teniendo en cuenta que en el conjuro deberá decirse "Segundo paso" en lugar de primero. El mango ha de ser negro y de cuerno de carnero. La sangre de gato negro con el jugo de la hierba "Pimpinela".

LA ESPADA.— Para hacer este instrumento deberá escogerse el día de Marte, que es el martes, durante el reinado de Capricornio, que es desde el 21 de diciembre hasta el 21 de enero, que sea en horas de las doce de la noche a las seis de la mañana estando la luna llena sobre el horizonte. Deberá tenerse preparado un topo para sacrificarlo el mismo día y bañar la espada en su sangre, mezclada con el jugo de la hierba "Pimpinela".

El mango puede hacerse de hueso o de la madera del avellano, quitándole en este caso la corteza con el mismo instrumento. En las espadas deberán grabarse las mismas inscripciones que llevan, según quien haya de usarlas, si es iniciado o maestro.

EL PUÑAL. — Este instrumento deberá fabricarse en el día de Mercurio, que es el miércoles, tiñéndolo en la sangre de topo y con jugo de "Pimpinela"; se le pondrá mango de cuerno negro de macho cabrío.

LANCETA. — Para este instrumento se observarán las mismas reglas que para el puñal, sólo que el mango será del mismo acero.

AGUJA. — Iguales reglas que para el puñal y la lanceta.
EL BASTÓN. — Este instrumento deberá fabricarse de rama de nogal, que no tenga ningún retoño. Debe cortarse en el día del Sol, que es el domingo. Los signos se han de hacer en el día de Mercurio (miércoles) con la pluma del auca macho. Una vez terminado se dirá la siguiente conjuración:

"¡Oh poderoso Adonay! Suplico tu intercesión para que des a esta vara la virtud y gracia que posees por los siglos de los siglos. Amén".

En seguida lo rociarás con agua clara del río, cogida en día domingo.

LA PLUMA DEL AUCA MACHÓ. — Para adquirir una pluma de esta ave que posea todas las virtudes mágicas, deberás asegurarte bien, al tomar el auca, que ésta sea macho, y que tenga todo su crecimiento. Le sacrificarás en el día de Júpiter, a las doce de la noche, a la luz de la luna llena, y dirás:

"Yo te sacrifico ¡oh ave sin par! en esta solemne hora y en honor del poderoso y excelso Adonay, al cual pienso dedicar los primeros trabajos que haga y a quien conjuro para que revista tus plumas de los dones mágicos necesarios para que sirvan bien a todos mis experimentos".

Dicho esto, se degollará el ave con un cuchillo que no haya servido para ningún uso, con el cual se han de hacer los cortes que la pluma requiera para cuando haya de usarse. Esta deberá tomarse del ala derecha del ave, procurando que sea la quinta pluma.

VARITA MÁGICA.— Se buscará un avellano silvestre o que no haya sido cultivado por la mano del hombre, se procurará que una de sus ramas tenga la forma que indica el dibujo. Una vez hallado se deberá esperar el día del Sol, o sea el domingo, en el mes de Junio, en días 2 al 30, se tomará el "cuchillo de mango blanco", y con él en la mano, se deberá estar al pie del avellano, para que en cuanto se presente el Sol en el horizonte, cortar la rama que ha de utilizarse. Acto seguido se dirá:

"Yo os conjuro ¡oh gran Adonay, Eloim. Ariel y Jehovam! que me seáis propicios en esta hora concediendo a esta varita que voy a tomar, la fuerza y virtudes que poseyeron Jacob. Moisés y Josué, Yo vuelvo a suplicfaros ¡oh Adonay, Eloim y Jehovam! la adornéis con la fuerza de Sansón, la ciencia de Hiram y la sabiduría de Salomón, para que pueda yo por vuestra

intercesión y por las virtudes de que la adornéis, descubrir tesoros, metales, aguas y cuanto se halla oculto a mis ojos".

Después de haber pronunciado con gran fe y ardor estas palabras, se levantará la vista a contemplar el Sol y se hará el corte en tres tajos. Una vez en posesión de ella, se llevará a casa, se pondrá ligeramente a la lumbre para mondarle la cabeza o corteza con el mismo cuchillo y luego se sumergirá en agua clara del río diciendo: *"¡Oh, vara de virtud rara! vales mucho más que el oro por ti lograré tesoro, y tú siempre serás vara".*

Se repite tres veces. Se perfumará, guardará cuidadosamente.

VARILLA MISTERIOSA. — Para formar esta varilla, deberán ejecutarse las mismas operaciones que para la varita mágica y en la misma época, pero en día jueves: Deberá buscarse en la orilla de un río cuya agua sea cristalina, un junco silvestre, que tenga bastante grueso. Se deberán seguir las mismas ceremonias, teniendo cuidado de decir en la invocación al llegar al punto de "las virtudes con que la adornéis" vencer todos los contratiempos de esta vida y a todos mis enemigos.

Esta vara deberá tener sobre cuatro pies de largo. Es preciso tallar en la parte gruesa, una cabeza de serpiente con los ojos abiertos y formar en la otra punta la figura del rabo del mismo animal. Todo esto debe hacerse en el mismo día y con instrumentos del arte. Cuando ya se tenga terminada, se deberá degollar un corderillo blanco. Se formará un círculo con la varita juntando las dos puntas, se atará con una cinta blanca y se colocará en un barreño nuevo, en el cual se tendrá cuidado de que caiga la sangre del cordero para que le sirva de bautismo.

Durante este acto deberá decirse:

"Yo te sacrifico, inocente corderillo, en conmemoración del sacrificio que hicieron los israelitas en tiempos de Faraón, para que el ángel exterminador no maltratara las casas cuyas puertas se hallaban bañadas de sangre. Así yo, pido en esta solemne hora del sacrificio, que la sangre que vierto sobre la vara, conceda a ésta el poder de vencer a todos mis enemigos, tanto corporales como espirituales y aun a mí mismo, en aquellas cosas que pueden serme perjudícales, lo cual espero me sea concedido por intercesión de los espíritus superiores, Adonay, Eloim, Ariel y Jehovám, presentes en este acto".

Luego se sacará la varilla con la mano derecha, se lavará en agua de río y se guardará, después de perfumarla, según las reglas indicadas.

DAGA.— Este instrumento sólo deberá ser usado por el maestro. Su construcción es como la espada, sólo que la empuñadura ha de ser del mismo acero que la hoja.

GANCHO. — En este instrumento se han de observar las mismas reglas que en el cuchillo de mango blanco.

BOLINA. — La bolina será preciso fabricarla de madera de boj y con las mismas reglas que la varita mágica, a la cual sirve de ayuda en cuantas operaciones hayan de ejecutarse.

En la invocación deberá decirse "bolina" en lugar de varita y al sumergirla en el agua:

"Recibe ¡oh bolina misteriosa! los dones necesarios para que me descubras aquellas cosas que estén ocultas a mi vista y entendimiento a fin que pueda yo conocerlas".

Póngase gran cuidado en imitar lo mejor posible todos los dibujos y formas que tienen los instrumentos.

CAPITULO III

VESTIDOS DE MÁGICO Y MODO DE PREPARARLOS

Ilustración original

Los vestidos deberán ser de tela blanca de lino, la parte interior y de lana fina la túnica y el gorro o caperuza. El color del gorro y de la túnica ha de ser negro, llevando bordados con seda roja los caracteres hebreos que tiene en la parte del pecho y las palabras de la caperuza, y con hilos de oro y plata las estrellas y demás signos.

Los zapatos han de ser de piel blanca de cordero. En ellos se dibujará con la pluma del auca indicada en los instrumentos del arte, la cual se mojará en una disolución de cinabrio reducido a polvo mezclado con agua y goma lo que bien preparado hace el efecto de tinta.

En el gorro deberán ponerse, además, los nombres siguientes: Jehová a la parte de atrás; Adonay, a la parte derecha; Eloy a la izquierda y Gibor al frente o delante.

CAPITULO IV
CEREMONIAL MÁGICO

Esta parte es muy conveniente que se haga con mucha exactitud, pues conviene que el iniciado pase por las fases, que son: "Deseo", "perseverancia" y "dominio". La primera pertenece a la "iniciación" o sea "deseo" de aprender. La segunda al "iniciado" que necesita la "perseverancia" para llegar al fin, y la tercera al "maestro", que es el verdadero mago, puesto que ha logrado el "dominio absoluto del arte".

No debe olvidarse que para lograr el objeto deseado se necesita proceder con absoluta vocación y buena fe, pues si las prácticas se hacen con un fin bastardo, los resultados serán nulos y acaso contrarios al fin que se busca.

CEREMONIA QUE DEBERÁ USAR EL QUE HAYA DE PRINCIPIAR LA INICIACIÓN

Una vez que hayas preparado todos los "instrumentos del arte", los vestidos y demás enseres, será necesario que preparen un local a propósito para los experimentos que hayan de ejecutar. No olvides que ese local deberá estar reservado para todos absolutamente y que en él no debe entrar ninguna persona que no haya efectuado antes pacto con alguno de los espíritus. Deberán procurar que haya dos ventanas, una al Oriente y otra al Poniente, y que esté en la parte más elevada de la casa; cubrirás todas las paredes con una tela negra, teniendo mucho cuidado que no se halle en ella, ni en sitio próximo ningún símbolo o figura religiosa, ni nada que forma cruz[ii].

Para comprender la importancia de estas observaciones voy a referir un hecho ocurrido al célebre mago Atothas y que fue la causa de su muerte.

Tenía una habitación perfectamente preparada, con sus dos correspondientes ventanas, las cuales estaban bien colocadas y cerradas, no abriéndose más que las noches que hacía sus conjuros.

Sucedió que, en una riña ocurrida en la ciudad de su residencia, hubo una muerte, y el matador para evitar ser conocido lanzó el puñal con toda su fuerza y fue a clavarse en una de las ventanas de la habitación que el mencionado Atothas tenía para sus prácticas.

Pocos días después de este suceso tuvo precisión de hacer algunos conjuros c invocaciones y por más voluntad que puso en sus trabajos, éstos no le dieron resultado alguno. Desesperado y no sabiendo la causa a que esto obedecía, tuvo que resignarse, por el motivo que el Sol asomaba ya por el horizonte. Pasó caviloso todo el día y a la noche volvió a preparar sus trabajos con orden metódico: se proveyó de los talismanes más poderosos, hizo sus conjuros con energía y voluntad; pero, nada, los espíritus no acudían a su llamamiento. Completamente desesperado, los maldijo a todos y aun no eran pasadas dos horas, cuando fue preso por las autoridades y acusado del asesinato que otro había hecho. Registrada toda la casa y en ocasión de salir el Sol, fue visto desde otra ventana por un esbirro el puñal que estaba clavado.

Cuando él se enteró de esta circunstancia comprendió la causa de la inutilidad de sus conjuros en las dos últimas noches, por razón de que en el puñal estaba la formada cruz y no era posible que los espíritus de Lucifer salvaran aquel obstáculo.

Como generalmente en todos los pueblos y en todas las épocas se atribuye todo lo malo que otros hacen a los que se dedican a las artes misteriosas de la magia, no le valió al pobre de Atothas querer demostrar su absoluta inocencia, pues antes de llegar a la cárcel fue ejecutado por el populacho, incitado acaso por el verdadero asesino, para evitar que se aclarara el hecho y fuera conocida su inocencia con lo cual se hallaba expuesto a ser preso de un momento a otro. El novicio para poder hacer la experiencia, invocaciones y conjuros deberá en primer término estar libre de prejuicios, tener despejada su imaginación de todo pensamiento que no sea dedicado al trabajo que vaya a ejecutar. Se lavará con agua clara del río, perfumándose luego con los polvos de rosa y lirio de Florencia. Al lavarse dirá:

"Purifica esta agua que voy a usar ¡oh, poderoso Adonay! para que a mi vez sea yo purificado y limpio a fin de ser digno de poderte contemplar en toda tu majestad y belleza. Así sea".

Una vez lavada la cara y la cabeza te secarás con mucha tranquilidad y reposo y luego tomarás los polvos de rosa y lino con los dedos pulgar e índice de la mano izquierda y los echarás sobre el cuello y barba.

Asimismo, se perfuman los vestidos y al ponerse cada prenda, se dirá:

"Las gracias de Adonay se coloquen sobre mi persona con igual voluntad y cariño como yo cubro mi cuerpo con esta prenda que tengo preparada con todas las reglas del arte, a fin de hacerme digno de los espíritus a quienes haya de invocar. Así sea".

Una vez que se halle revestido de todas las prendas, dirá:

"En esta hora solemne quiero invocaros con toda mi voluntad y buen deseo a vosotros espíritus excelsos que me acompañáis en mis trabajos "Astroschio", "Asath", "Bedrimubal", "Felut", "Anabatos" "Sergem", "Gemen", "Domos", y Arbatel , para que me seas propicios y me iluminéis en aquellas cosas que mi inteligencia humana no pueda comprender con claridad, supliendo defectos que en mis trabajos haya en atención a mi buen deseo y voluntad. Así sea. "

Luego de practicar lo dicho, se puede pasar a ejecutar el trabajo que se quiera.

Las invocaciones son iguales para el novicio que para el iniciado o maestro, únicamente se distinguen las prácticas en que el novicio debe usar la súplica, el iniciado, la persuasión y el maestro el dominio o mando. Esto podrá variar, sin embargo, según el carácter, valor y energía de la persona que practique.

CAPITULO V

CUALIDADES ESENCIALES PARA PROFESAR LAS ARTES MÁGICAS

La magia como todas las ciencias, requiere indudablemente condiciones muy especiales en las personas que se dediquen a su estudio y conocimiento. Por esto es conveniente hacer un examen detenido de las facultades que uno posee, a fin de lograr el fruto apetecido en cuantos trabajos se practiquen.

En primer lugar, se ha de tener verdadero deseo y vocación, pues de no ser así, es inútil que se proponga conseguir nada, puesto que tomará el asunto por el mero pasatiempo y no pondrá toda su voluntad y energía en los trabajos que realice.

En segundo lugar, se necesita que ponga grande atención en preparar bien todo aquello que se proponga hacer, pues cualquier detalle que falte o distracción que tenga, ha de redundar en perjuicio de la obra misma, exponiéndose a no lograr el resultado que busca.

También se precisa un estudio constante de las cosas naturales, para poder llegar, por medio de su investigación, al verdadero conocimiento de lo sobrenatural que es el fin y objeto de las artes mágicas.

Otra de las cosas que se han de tener muy en cuenta es que por ningún concepto debe revelarse a nadie que no sea adepto en estas ciencias las cosas sobrenaturales que llegue a conocer.

Con lo dicho bastará para que cada uno pueda juzgar si se halla bien dispuesto y si posee las cualidades que se requieren, pues siendo así, y teniendo valor y temeridad, logrará cuanto quiero. Pero en cambio, si le falta la fe o el valor, o si no pone toda su voluntad en los trabajos, entonces no debe esperar ningún resultado positivo, exponiéndose en cambio a que le suceda lo que menos espere.

El verdadero mago deberá ser, por lo tanto, estudioso, discreto y constante en sus trabajos. Deberá muy especialmente poner toda su fe y voluntad en cuanto haga, teniendo resignación cuando se le origina alguna contrariedad, o no consiga en absoluto lo que busque.

No siempre los espíritus se muestran propicios para acudir a las invocaciones de los mortales, y a veces es necesario repetir el llamamiento conjurándoles de nuevo a presentarse y obligándolos, sí no acuden, con algún talismán o amuleto que posea el suficiente dominio sobre ellos.

CAPITULO VI

El modo de hacer la tinta con que se han de escribir los pactos, oraciones, etc.

Los pactos no deben ser escritos con tinta ordinaria. Cada vez que haya de hacer un llamamiento al espíritu, se debe cambiar de tinta.

Pondréis pues, en un puchero nuevo, agua de río y los polvos que voy a describiros: Tomad huesos de albérchigo sin quitar las almendras, ponedlos al fuego para reducirlos a carbones bien quemados; después, cuando estén ya muy negros, los apartaréis del fuego, los haréis polvo, los mezclaréis a una cantidad igual de hollín de chimenea, les añadiréis el doble de nueces de agalla, el cuádruplo de goma arábiga, y pasados dichos polvos, bien revueltos por un pedazo muy tupido, los echaréis en el agua de río que se ha indicado.

Pero hasta ahora no tendréis más que una tinta parecida a las corrientes. Para que surta los efectos mágicos, es preciso añadirle carbones de ramas de helecho cogidas la víspera de San Juan, perfectamente machacadas: carbón de sarmiento cortado en la luna llena de marzo, mezclado todo, se hervirá por especio de cinco noches seguidas, suspendiendo la operación de día. Cada vez que se empiece la cocción, se invocarán los espíritus sobrenaturales. Terminada de hacer la tinta, se expondrá de noche al aire libre, de modo que los rayos de la luna en menguante, caigan sobre la tinta y la impregnen de su virtud mágica.

Todo lo cual, una vez efectuado, ya la tinta está preparada para la escritura de los pactos, oraciones y demás documentos, por medio de los cuales os habréis de poner en comunicación con los espíritus.

Al hacer uso de ella hay que agregarle dos gotas de sangre del dedo corazón de la mano izquierda, que deberéis sacar pinchando un poquito con un alfiler que sea nuevo.

CAPÍTULO VII

DE LAS HORAS Y VIRTUDES DE LOS PLANETAS

Es muy conveniente conocer las horas en que domina cada planeta en el Universo y los experimentos que deben hacerse según el planeta que rige.

A este objeto, deberá tenerse muy presente la tabla siguiente que está ordenada según la importancia de cada uno.

- 1º Solday (Saturno) domina el sábado.
- 2º Zeder (Júpiter) domina el jueves.
- 3º Madime (Marte) domina el domingo.
- 4º Zemen (el Sol) domina el martes.
- 5º Hoyos (Venus) domina el viernes.
- 6º Cocao (Mercurio) domina el miércoles
- 7º Zehac (Luna) domina el lunes.

Los experimentos deben hacerse siempre por la noche, desde la hora de las doce en adelante, en cuanto se refiera a invocaciones y conjuros.

Para descubrir tesoros ocultos, minas, aguas, etc., deberán utilizarse las horas de la mañana, desde que raya el alba hasta antes de la salida del Sol.

Las horas de Saturno, Marte y Venus, son buenas para hablar a los espíritus. Las de Mercurio para hallar las cosas hurtadas, tesoros ocultos, aguas y minas. Las de Júpiter, para llamar las almas de los que están muertos. Las de la Luna y el Sol tienen virtudes especiales, por lo cual puede decirse que sirven para todos los experimentos en general.

Es muy necesario tener gran fe y voluntad absoluta en la hora de ejecutar las invocaciones o cualquiera otro sortilegio, procurando que no falte ningún detalle, a fin de lograr que la operación esté bien hecha. No nos cansaremos de advertir que cualquier circunstancia por insignificante que parezca, puede malograr la operación mágica, en cuyo caso habría necesidad de principiar de nuevo.

CAPITULO VIII

Del modo de ejecutar los experimentos

Una vez que la persona que haya de ejecutar el experimento tenga todo el conocimiento necesario y la suficiente vocación y fe, deberá preparar aquellos instrumentos que le hayan de servir en la operación, los cuales perfumará, invocando para ellos las virtudes mágicas con la siguiente oración:

"¡Oh, admirable Adonay, que reinas y moras en todo lo creado, siendo a la vez arbitro soberano de todo, el sistema planetario! Humildemente imploro tu protección en esta hora suprema para que adornes a estos instrumentos de que me voy a servir de todas las virtudes necesarias, a fin de lograr el resultado que deseo en el experimento mágico que quiero ejecutar. Accede a mi ruego ¡oh, poderoso Adonay! ya que te imploro con verdadera fe que requieres en los que solicitan tu ayuda. Te ofrezco en cambio de tu servicio, todo cuanto soy y valgo, y hasta la sangre de mis venas, si de ella quieres disponer, poniéndola por sello de nuestro pacto y eterna amistad".

Dicha la anterior oración y preparados todos los instrumentos se puede pasar a ejecutar los varios experimentos que se indican a continuación:

EXPERIENCIA DE VUELO

Esta experiencia deberá ejecutarse, como se dice, en las horas de los planetas, después de las doce de la noche. Antes de principiar el trabajo, y una vez que todo se tenga preparado, se dirá la siguiente invocación:

"Atha, Milech, Nigheliona, Assermaloch, Bassamoin, Eyes, Saramelachin, Baarel, Emod, Egen, Gemos. A todos vosotros, espíritus invisibles, que recorréis sin cesar el firmamento y todo lo creado, quiero invocar en esta hora para que me adornéis, si me halláis suficientemente digno, de vuestras alas poderosas a fin de que pueda conocer la fuerza y eficacia de este experimento. También acudo a vosotros, ¡oh, magnánimos Cados, Eloy. Zenath y Adonay! suplicándoos reverentemente me dotéis de la virtud necesaria para que pueda perfeccionar esta obra que deseo ejecutar y llevar a buen término".

Después de dichas estas palabras, se tomará la espada con la mano izquierda, presentándola sucesivamente a los cuatro puntos cardinales, o sea al Oriente, Poniente, Mediodía y Norte, y se dirá a la vez;

"Ya es llegada la hora de que este experimento se termine, nada hay que me ligue a la tierra; sólo me falta que vosotros, espíritus invocados en este supremo instante, me adornéis de las alas impalpables y potentes para poder navegar a vuestro lado, Jot, Jot, Jot, ordena a los espíritus que cumplan mi deseo".

Extenderás las manos al aire, cerrarás los ojos, concentrando todo tu espíritu en el vuelo que en breve podrás notar perfectamente que estás ejecutando. Durante el viaje cuidarás de no abrir los ojos, pues si olvidaras ese detalle caerías irremisiblemente desde la altura, donde estuvieres, seguramente sería el último instante de tu vida. Cuando quieras que termine esta experiencia dirás;

"Cese ya mi viaje y reposen mis pies de nuevo en el mismo punto de donde he salido".

Al momento notarás que ya te encuentras en tierra, pudiendo entonces abrir los ojos sin cuidado ninguno.

Para este experimento es conveniente prepararse un vaso grande de vino, en el cual se echará una copa de licor y se beberá en tres veces, en los intermedios de las invocaciones. Si la concentración de espíritu se hace con gran fuerza de voluntad, se notarán cosas maravillosas; pero si no se concentra bien, será difícil que llegue a feliz término la experiencia.

DE LA EXPERIENCIA DE LA INVISIBILIDAD

Teniendo preparados todos los instrumentos para esta experiencia, dirás de todo corazón las palabras siguientes:

"Scaboles, Hebrion, Elde, Erimgit, Baboli, Cemitrien, Metinoboy, Sabaniteut, Heremobol, Cane, Methe, Baluti, Catea, Timeguel, a vosotros, excelsos espíritus me dirijo a fin de que el imperio que ejercéis sobre todas las criaturas me ayudéis en esta obra para que por vuestra mediación pueda yo ser invisible".

Luego se dirá:

"Yo os invoco, os conjuro y os contraigo a vosotros, espíritus de invisibilidad. para que sin tardar os consagréis a este experimento, al objeto de que yo pueda ciertamente ser invisible sin temor ninguno. Segunda vez yo os conjuro por el poder de Lucifer, vuestro soberano Señor, y por obediencia que le debéis, que me concedáis vuestra ayuda consagrando esta experiencia lo más pronto posible. Fiat, Fiat, Fiat,"

Dicho esto, se tomará la espada con la mano izquierda y se ejecutará la misma operación indicada en el experimento anterior. Igualmente deberá hacerse con el vaso de vino, pues éste representa la sangre y el licor que se le agrega el espíritu, y posee gran eficacia en todas las artes mágicas. Terminadas que sean estas ceremonias deberá decirse:

"¡Oh. espíritus invisibles e impalpables! Yo, el más insignificante de los mortales, os suplico por última vez que cubráis mi cuerpo de fluido misterioso, que vosotros poseéis, para que ninguna persona humana pueda verme en el espacio de tiempo que dure esta prueba de invisibilidad".

DE LA EXPERIENCIA DEL AMOR

Para hacer la experiencia del amor o para conseguir el amor de una persona, ya sea hombre o mujer, deberá hacerse lo siguiente: Se escogerán las horas de Venus o de la Luna, se formará con cera virgen una figura, que aplicará a la persona de quien se desea ser amado. Una vez hecha la figura se dirán estas palabras:

Noga, Ies, Astropolim, Asmo, Cocav, Bermona, Tentator y Soigator, yo os conjuro a todos vosotros, ministros del amor y del placer, por aquel que es vuestro soberano y señor, que consagréis esta cera como debe estarlo, a fin de que adquiera la virtud deseada, que deberá obtener por la potencia del muy poderoso Adonay, que vive y reina por todos los siglos de los siglos.

En seguida escribiréis en la parte del pecho y vientre de la figura con la pluma de auca y la tinta de los pactos estas palabras:

"Quiero que fulano (o fulana), a quien representa esta figura, no pueda vivir ni sosegar más que a mi lado y que me ame eternamente. Estos caracteres que he trazado quiero que tengan la virtud mágica suficiente para que fulano (o fulana), no pueda querer más que a mí, ni que él (o ella) sea querido de nadie que no sea yo".

Luego se pronunciará la siguiente oración:

"¡Oh, tú, muy poderoso rey Pavmon, que reinas y dominas en la parte occidental del universo! ¡Oh, tú, Egim, rey muy fuerte del imperio helado y cuyo frío mandas a la tierra! ¡Oh, tú, Asmodeo, que dominas al mediodía! ¡Oh. tú, Aymemon, rey muy noble, que reinas en el oriente, y cuyo reino debe durar hasta el fin de los siglos! Yo os invoco y os suplico concedáis a esta figura todos los encantos, hechizos y sortilegios, para que por su mediación pueda lograr que fulano (o fulana) no pueda querer a nadie más que a mí consiguiendo por vuestra influencia que venga a mi casa".

Estando esto hecho pondrás la imagen debajo de la cabecera de tu cama, y a los tres días verás cosas admirables.

Si esta experiencia se hace con cuidado, ni la tierra ni el hierro, ni las cadenas, impedirán que la persona a cuya intención se aplica venga a ti, pudiendo lograr de ella todo lo que desees.

También puede hacerse la figura de plomo o metal, pero siempre se escribirá con la pluma del auca y la tinta mágica de los pactos.

EXPERIENCIA DE GRACIA Y AGRADO

Esta experiencia sirve para agradar y hacerse querer de todo el mundo en general, pudiendo dedicarla a alguna persona de la cual quiera uno ser amado en particular.

Se escogerán las horas de Venus o Luna, por ser las más convenientes para dedicarlas a las experiencias del amor; se escribirá en un pergamino virgen con la pluma del auca, bien perfumada, mojándola en la tinta de los pactos, las palabras siguientes:

"Ruégote, Adonay, que deposites en este pergamino inmaculado los misteriosos efluvios de la gracia y la impenetración con que el poderoso rey Alpha y Omega, señor y soberano de todas las ciencias y artes te ha dotado, para concederles graciosamente a los mortales que sean dignos de tus dones. Yo, el más mísero de todos espero ser favorecido por ti con la gracia necesaria para merecer el aprecio general y,

particularmente, el de fulano de tal (o fulana), cuyo cariño deseo poseer desde este momento, y que sea eterno como lo es el soberano señor Alpha y Omega de las ciencias cabalísticas. Así sea".

Una vez que ya esté escrito el pergamino lo doblarán con cuidado en cuatro dobleces y lo colocarán dentro de un trapo de seda encarnada, que sujetarás con un alfiler nuevo colocándotelo sobre el costado izquierdo, encima del corazón. Si la operación está bien hecha y eres digno de los dones de la gracia, no pasará mucho tiempo sin que sea logrado tu deseo.

EXPERIENCIA DEL ODIO Y DESTRUCCIÓN

Esta experiencia sirve para hacer daño a cualquiera persona a quien se dedique, por lo cual deberá reflexionarse mucho antes de ponerla en práctica.

Nadie puede ignorar que el daño que se hace causa generalmente grandes remordimientos al mismo que lo produce. La tranquilidad del espíritu vale mucho y causa siempre una satisfacción grande de la cual no pueden disfrutar los que por motivos fútiles hacen un daño que luego es difícil evitar.

Hay que tener presente que los espíritus no siempre conceden lo que se pide máxime si quien lo pide no es verdaderamente digno o pide cosa que no sea justa o razonable, en cuyo caso su súplica no es atendida.

Como esta experiencia se ha de ver repetida en la sección que trate de los sortilegios, será conveniente que el operador tenga presente, los extremos siguientes:

1.— El operador debe estar limpio y purificado.[iii]

2. — Deberá tener justo motivo para causar el daño que se proponga causar.

3. — Deberá poner toda su imaginación y voluntad, sin zozobras ni dudas, en la operación que ejecute. [iv]

4.b— Que el daño que se cause es difícil si no imposible de remediar, y por lo tanto, debe pensarse mucho antes de practicarlo.

Hechas las anteriores indicaciones pasaremos a explicar la forma de hacer la operación o experiencia del odio y destrucción.

Se formará una imagen, bien sea de cera virgen, barro o de otra pasta blanca, cuya imagen dedicarás a la persona que se quiere perjudicar, dañar o hacer que sea aborrecida.

Una vez preparada la imagen, la rociarás con agua de pozo y polvos de asafétida y azufre.

Luego escribirás sobre ella con la lanceta del Arte lo siguiente:

"Usore, Dilapidatore, Tentatore, Soignatore,
Devoratore, Consítore et Seductore."

Hecho esto, dirás:

"A vosotros, espíritus dañinos e infernales, os conjuro y mando que pongáis vuestras diversas cualidades al servicio mío para atormentar, tentar, devorar, y hacer odiar a fulano de tal para quien está dedicada esta imagen. Es mi deseo que por las figuras que vuestros nombres han grabado, penetréis cada uno en su cuerpo y ejerciendo vuestras artes infernales, no le dejéis parar ni sosegar, dormir, ni descansar, atormentándolo con pesadillas y visiones a fin de que yo logre ser vengado de los males y perjuicios que por su causa he sufrido. Y que esto sea por todo el tiempo que la imagen conserve vuestros nombres grabados, que será tanto como mi voluntad o mi deseo quiera".

Cuando deseéis hacer cesar el maleficio, tomarás la figura, la rociarás de agua clara del río y dirás:

"Yo os conjuro de nuevo ¡oh, espíritus infernales! para que dejéis ya libre el cuerpo de fulano, cuya imagen he purificado con agua clara y que acudáis a mi llamamiento para que me veáis destruirla, así como los nombres grabados, lo cual hago en este momento a fin de que cese por completo el maleficio y tormento de fulano".

Dicho esto, se arroja en el fuego que se tendrá preparado al efecto. Es necesario que cuando se conserve la figura se ponga en un armario obscuro donde nadie pueda verla, pues sería peligroso para cualquiera que no sea iniciado, el contemplarla.

CAPITULO IX
EXPLICACIONES ÚTILES SOBRE LOS EXPERIMENTOS E INVOCACIONES

No terminaremos esta sección sin antes hacer algunas indicaciones necesarias para el buen resultado de las experienicas expresadas en el capítulo anterior, así como igualmente para las que en el transcurso del libro se vayan exponiendo.

Las invocaciones a los espíritus celestes y aéreos es conveniente hacerlas en tiempo claro y sereno, y a las terrestres e infernales en tiempo tormentoso y cubierto el cielo de nubes.

Siendo variada la naturaleza de los espíritus, también es variada la forma en que se presentan. Así los que son de naturaleza aérea se presentan en forma de aire, los de naturaleza acuática, en forma de lluvia; los de fuego, rodeados de llamas, y los celestes en forma bella y luminosa.

Aun cuando se ha de presumir que los espíritus puedan hallarse en cualquier punto del universo al hacer la invocación, no está de más saber que su residencia ordinaria es el Oriente para los espíritus aéreos, el Sur para los acuáticos, el Norte para los de naturaleza fría, y el Poniente para los de temperamento de fuego.

Las invocaciones se han de hacer siempre hacia los cuatro puntos cardinales del Universo, a fin de que tengan la eficacia necesaria, puesto que es el modo más seguro de acertar con el sitio donde se hallan los espíritus cuya aparición se solicita.

LA CLAVICULA DE SALOMÓN
O EL SECRETO DE LOS SECRETOS

INTRODUCCIÓN

Ilustración original

LA VISION DEL REY SALOMÓN

Hablando Salomón a su hijo Roboan sobre los misterios secretos de la naturaleza le decía: —Ten presente hijo mío, que yo he poseído como nadie el don de la sabiduría, más sin embargo no tengo poder bastante para transmitirla a ti como sería mi deseo.

– ¿Y en qué consiste — le preguntó Roboan— que yo no pueda tener el mismo mérito que vos, para adquirir el conocimiento de todas las cosas creadas?

—No puedo contestar a tu pregunta, hijo mío, sino diciendote: que así como en el universo no existen dos seres que sean exactamente iguales, así tampoco puede haber dos personas que posean idénticas facultades. Los espíritus superiores que se complacieron en adornar mi inteligencia de todos los conocimientos que ningún otro mortal ha poseído jamás, no han estimado sin duda que tú eres merecedor de poseer la verdadera sabiduría.

Resígnate pues, y acata con humildad los arcanos misterios de aquellos espíritus que seguramente no llegarás a conocer jamás. Sin embargo, de esto, quiero manifestarte el origen de mi inmenso poder, por si algún día puedes hallar utilidad en su conocimiento.

Debo manifestarte que toda mi sabiduría la he adquirido por el ejercicio de las artes mágicas, a las cuales tuve siempre grande inclinación; pero si los espíritus superiores no me hubieran dotado de una inteligencia clara, si no hubieran sido conmigo tan benignos, como siempre se mostraron, yo jamás hubiera llegado a la altura en que me hallo. Una noche, ¡bien lo recuerdo! hice mis experimentos con mucha voluntad, solicitando de los espíritus supremos el don de la sabiduría y el conocimiento de todas las cosas.

A mis súplicas, se presentó el admirable Adonay con toda su belleza y esplendor, rodeado de otros espíritus, irradiando una claridad maravillosa de todo su ser y me dijo: —Oh, amado hijo Salomón! tus súplicas e invocaciones han sido acogidas con agrado, y en atención a que no has pedido riquezas, ni vivir muchos años, ni la ruina o daño de tus enemigos, sino únicamente la sabiduría y el conocimiento de las cosas creadas, es por esto por lo que te será concedido lo que deseas, desde este momento puedo asegurarte que no ha existido ni existirá en el mundo quien pueda a ti compararse, tanto en sabiduría como en riqueza y poderío.

Yo di al grande y hermoso Adonay las mayores muestras de agradecimiento, mis ojos se empañaron de lágrimas y cuando los alcé de nuevo para contemplarle, observé que había desaparecido, no quedando de aquella hermosa visión, sino una ráfaga luminosa. Desde aquel momento se operó tal cambio en mi inteligencia, no había cosa ni pensamiento, por oculto que fuera que yo no viera con toda claridad.

Ilustración original - ADDA-NARI. La Isis Indica.

— Ahora, hijo mío, sólo me resta decirte, que si has de lograr el favor de los espíritus superiores, has de ser paciente, humilde y resignado, teniendo presente que ellos te concederán cuanto les pidas con buena voluntad y siempre que comprendan que harás buen uso de sus dones, si no te lo conceden, será porque no hallarán tu corazón lo bastante limpio y puro, o porque no convendrá a sus designios el concederlo. Yo como padre, estoy en el deber de ponerte en condiciones de adquirir toda clase de conocimientos, para lo cual te entrego este libro que es el que a mí me facilitó los medios de adquirir la sabiduría que poseo. Leélo con atención, practica con fe todo lo que en él se indica y acaso logres todo aquello que desees.

Mas si los espíritus a quienes invoquéis no se mostrarán propicios a concederte sus dones, no por esto te entristezcas, pues será prueba de que ellos no juzgan conveniente acceder a tus deseos, lo cual deberá persuadirte que su infinita sabiduría al obrar de ese modo, te preserva de muchos peligros que acaso te habrían de acontecer.

Estos sabios consejos que aquel gran rey daba a su hijo primogénito hallándose en el término de su vida, deberán estar grabados constantemente en la memoria de los que sigan el estudio y las prácticas expuestas en las páginas de este tratado.

CAPITULO I
DE LOS TALISMANES

Los talismanes son unos objetos mágicos, de diversas especies que poseen virtudes maravillosas.

Están hechos impresos, grabados o cincelados sobre una piedra, metal u otra materia y llevan el sello de un signo celeste.

El metal ha de ser correspondiente, al astro del que se desea obtener el poder sobrenatural.

Dichos talismanes, deben hacerse por personas iniciadas en las ciencias ocultas en una hora determinada y con el alma completamente fija en la labor que se tiene entre manos, en un lugar destinado especialmente a estas misteriosas obras, bajo un cielo sereno y espléndido, e invocando la influencia del planeta bajo el cual se coloca el talismán.

Los talismanes fueron inventados por los caldeos y egipcios siendo de innumerables especies.

El más célebre de todos ellos, era sin duda, el anillo de Salomón.

En él estaba grabado el misterioso nombre de Dios, el cual nombre sólo Salomón llegó a conocer.

El dichoso poseedor de aquel anillo, dominaba en todas las cosas.

Apolonio de Tiana hizo en Constantinopla la figura de una cigüeña, que, por una propiedad mágica hacia alejar todas las aves de su especie.

Se citan otros talismanes famosos de la antigüedad; pero desgraciadamente, no han llegado hasta nosotros.

He aquí algunas propiedades de los diversos talismanes consagrados a los astros:

Los talismanes del Sol, llevados con fe y veneración, conceden los favores y la benevolencia de los príncipes: honores, riquezas y aprecio general.

Los de la Luna, preservan de las enfermedades, y a los que viajan, de todos los peligros.

Los de Marte tienen la virtud de hacer invulnerables a los que los llevan con fervor, concediéndoles también una fuerza y un vigor extraordinarios.

Los de Júpiter destierran los pesares y temores, dando acierto en todas las empresas que se acometan.

Los de Venus, apagan los odios, inspiran amor e inculcan la afición a la música.

Los de Saturno, hacen parir sin dolor.

Los de Mercurio hacen prudentes y discretos a los que los llevan con respeto, dan la ciencia y una privilegiada memoria, curan las fiebres, y, colocados bajo la almohada, producen sueños felices y verdaderos.

Cada talismán debe ser del color y metal correspondiente a su planeta, en la forma siguiente:

Saturno: negro -plomo

Marte: rojo -hierro

Júpiter: azul celeste -estaño

Sol: amarillo -oro

Venus: verde -azogue

Mercurio: verde rojo -cobre y latón

Luna: blanco -plata

La forma de los talismanes debe ser generalmente circular; pueden hacerse también octagonales, pentagonales, exagonales, etcétera.

Los nombres de Dios son de mayor eficacia si están escritos en hebreo.

En cuanto al tamaño, varía a gusto del artífice que puede aumentarlo o disminuirlo siempre que todos los signos cabalísticos estén completos y colocados en su verdadero sitio.

Los talismanes juegan un papel muy importante en las ciencias secretas por sus propiedades maravillosas, lo cual habrá ocasión de conocer en el transcurso de este tratado.

Uno de los más antiguos es, sin duda, el denominado *"Abracadabra"*, que se graba generalmente en una piedra simbólica. Sirve para precaverse de las enfermedades y de los sortilegios Para que posea todas las virtudes mágicas deberá formarse del modo siguiente:

A B R A C A D A B R A
A B R A C A D A B R
A B R A C A D A S
A B R A C A D A
A B R A C A D
A B R A C A
A B R A C
A B R A
A B R
A B
A

El misterio de este talismán consiste en que las letras de este nombre, si se forma en caracteres griegos, representan números y por cualquier de sus lados dan la cifra 365, que son los días del año.

Después de este talismán, que seguramente es el más primitivo y sencillo, expondremos los más conocidos e importantes, por orden de sus méritos y virtudes.

CAPITULO II

TALISMANES IMANTADOS

Es muy conveniente tocar los talismanes antes de usarlos con la piedra imán, que como es sabido, tiene la propiedad de atraer todos los cuerpos de la naturaleza.

Considerando que en el universo todo se rige por las leyes de la atracción, ésta es una circunstancia que tuvieron presente los sabios cabalistas para dotar a los talismanes de la virtud atractiva.

Los astros tienen estas propiedades en grado sumo, pues de no ser así no podrían gravitar sobre el espacio y si bien está demostrado que la acción que ejercen unos sobre los otros los precipitan a unirse, resulta sin embargo que se halla equilibrado por la que ejercen a su vez los demás planetas, la cual da por resultado, que se hallen fijos en un punto dado sin que puedan por ningún concepto moverse en ninguna dirección.

Esto no basta para que su influencia se deje sentir sobre todo el universo y esta influencia es la que se ha de buscar con más seguridad con los talismanes imantados, que sirven para transmitirla a la vez a todos los seres, tanto naturales como sobrenaturales.

Es decir, que lo mismo pueden atraer a las personas como a los animales, a los espíritus, como a les elementos.

Hecha la explicación, solo resta indicar la forma usada por el gran Rabino Yram Radiei. con arreglo a las explicaciones que el sabio Salomón nos da en su sagrada Clavícula.

Estos talismanes se forman bajo los auspicios de los siete me^ tales que son apropiados a los siete planetas, por lo cual, y con la virtud que les comunica la piedra imán, gozan de propiedades generales, cuya cualidad no poseen los que sólo se forman por un solo metal y bajo las influencias de un solo astro.

Para usarlos se colocan, como los demás, dentro de una bolsita de raso verde, poniendo a la vez unas limaduras de acero y oro y siete granos de trigo como ofrenda a los siete planetas.

Esta ceremonia debe hacerse en domingo a la salida del sol colocándole después sobre el corazón, pendiente de un cordoncito de seda verde.

No ha de olvidarse que el talismán favorece a quien lo lleva consigo, tanto en los negocios como en los viajes, en juego, en amores, combates, etc., pero para adquirir sus dones ha de hacerse digno de merecerlos.

CAPITULO III

GRAN TALISMÁN DOMINATURE O LA LLAVE DE LOS PACTOS

Aquí se muestra la verdadera llave que abre todas las puertas de las ciencias desconocidas, a las personas que, por sus méritos y buena fe, son dignas de poseer la sabiduría, don precioso que muchos desean y pocos logran alcanzar. La llave, o clavícula, sirve también para toda clase de pactos, pues por ella son obligados los espíritus a presentarse a la persona que en las invocaciones la use.

Esta llave o clavícula es conocida por el gran talismán Dominatur o dominador, que es por lo tanto, el que puede considerarse primero en la escala de los talismanes; de él se valía Salomón para subyugar a los espíritus, que siempre acudieron humildes a su mandato.

Esta llave se forma de los metales oro, latón y bronce, se fabrica en domingo por la mañana a la primera hora de la salida del sol. Lleva la forma de un pergamino con las palabras hebreas, y sobre éste la llave. Puede construirse en metal como el dibujo, o formar un pergamino con las palabras grabadas y la llave fabricada por separado.

Para investirse de este talismán, se escogerá la primera hora de Sol, en día domingo; se le agregará un pequeño trozo de piedra imán y se dirá:

"En el nombre tres veces santo y poderoso del Supremo Hacedor de todas las cosas, en el nombre del Hijo y Santo Espíritu, uno y trino, por la gracia concedida a los ángeles de luz; por la que a mí me ha dado al formarme persona humana, a imagen y semejanza suya; por el poder que confirió a los siete planetas, que son: Sol, Luna, Marte, Mercurio, Júpiter, Venus y Saturno, para reinar, influir y dominar en todo cuanto hay encima y debajo de la tierra y de las aguas, por las palabras sagradas que encierra, este talismán dominador, por los nombres de los buenos espíritus Adonay, Eloim, de lograr por tu mediación, el absoluto dominio de las criaturas, espíritus y elementos. "

Luego se coloca en una bolsa de seda encarnada y se perfumará con polvos de incienso, y mirra.

Todos los domingos, a la salida del Sol, se echarán en la bolsa unas limaduras de acero para alimento del talismán y siete granos de trigo como ofrenda a los siete planetas. Al colocarlo sobre el corazón se dirá:

"¡Oh, planeta misterioso que riges y gobiernas en esta hora todos los destinos del mundo y de las cosas creadas, tómanse bajo tu protección y amparo y favoréceme con tus dones hasta la hora de mi muerte. Amén".

Téngase en cuenta que clavícula significa clave o llave, y que es palabra de origen hebreo, siendo ésta la que da nombre a la gran clavícula de Salomón.

CAPITULO IV

DONDE SE DEMUESTRA EL PODER Y VIRTUDES DEL TALISMÁN LLAMADO "EL DRAGÓN ROJO"

Hiriam Abid, hijo de una hebrea viuda, de la tribu de Leví, era un notable arquitecto y grabador en metales. La reina de Tebas, que conocía sus grandes cualidades, le ordenó que se presentara al sabio Salomón en ocasión de hallarse este gran Rey preparando la construcción del templo de Jerusalén, y esta misma alma proporcionó también todas las maderas de cedro del Líbano que fueron necesarias para la edificación del referido templo.

Salomón concedió a Hiriam el cargo de arquitecto superior y le inició a la vez en los sagrados misterios de las "ciencias ocultas", a las cuales debía el conocimiento de la verdadera sabiduría. Luego que fue iniciado en todas las ciencias, le hizo donación de un pequeño dragón rojo de metal, hecho de tal forma, que el mismo Hiram que era un excelente grabador, quedó admirado.

Salomón dijo: —Vas a tener a tu disposición tres maestros. 70,000 compañeros y 170.000 aprendices.

Ilustración original

EL DRAGÓN ROJO

Por virtud de este dragón todos te obedecerán ciegamente y tus órdenes serán perfectamente interpretadas por ellos; pero es preciso que todos los días al salir el sol digas las palabras que el célebre mago Anacharsis enseñó a Moisés, que son: *"Jobsa", "Jalma", "Afia"*. Dicho esto, darás al dragón un grano de alcanfor del más puro y del tamaño de un grano de trigo. Luego le pondrás en una bolsa de paño encarnado, diciendo al colocarle: "Adonay. Almanach, Elochay, vuestro poder y sabiduría sean conmigo, ahora y siempre. Así sea'.

Practicando todo esto con deseo y buena fe, tus enemigos se reconciliarán contigo, serás respetado por todos los reyes y todos los pueblos: tu sabiduría será inmensa, se sostendrá tu hermosura y juventud, aumentará tus riquezas y tu vida será larga.

Todas estas virtudes poseía el dragón rojo, que era uno de los más raros talismanes que existían en Egipto.

Moisés le tuvo en su poder muchos años y a esta circunstancia se atribuye que todas sus empresas fueran coronadas por el éxito más completo.

Este talismán deberá ser construido con la aleación de los siete metales que poseen la influencia de los siete planetas.

Ha de fabricarse en día jueves en ocasión de hallarse en conjunción la Luna y el Sol, lo cual ocurre muy pocas veces. En su construcción sólo deben trabajar los sabios iniciados en todas las ciencias ocultas.

Para usar de este talismán, es preciso lavarse y perfumarse todo el cuerpo, y a la salida del sol se pronunciarán con gran recogimiento las palabras que se indican anteriormente. Se le echará en la boca un grano de alcanfor y puesto en la bolsa, con una piedra imán, se colocarán al lado del corazón.

Cumpliendo fielmente todo lo dicho, podrás pedir lo que desees y las puertas que estén cerradas se abrirán a tu llamamiento.

EL ANILLO DE SALOMON. — Este anillo debe ser fabricado de oro del más puro, en día domingo a la salida del sol y en el mes de Mayo. Ha de llevar en el centro una piedra de esmeralda, en la cual se graba la figura del sol y en el lado opuesto del anillo, sobre el mismo oro, la Luna. Luego se graban también sobre oro, con buril, de acero nuevo, las palabras siguientes *"Dabi", "Habi", "Alpha" y "Omega"*, teniendo presente que se ha de hacer en caracteres hebreos, por ser de mayor agrado a los espíritus cuyos nombres lleva. Para que se pueda hacer con exactitud, al dibujo de la sortija acompaña otro que representa el anillo tendido a lo largo con los signos hebreos que debe llevar.

Para que este talismán adquiera grandes efectos mágicos deberá ponerse en contacto con la piedra imán a la salida del sol y decir la siguiente salutación:

"Dedícoos, Señor Poderoso Alpha y Omega (1), substancia y espíritu de toda la creación, el recuerdo diario de mí alma, que espera vuestra divina protección, en cuantas obras haya de ejecutar en este día. "

Teniendo fe, paciencia, constancia y observando todas las virtudes, podéis adquirir un dominio tan grande, que hasta los reyes necesitarán su ayuda y jamás podría nadie hacerte daño de ninguna clase. Tendrás una inteligencia despejada para adquirir toda clase de conocimientos y prosperarás en cuantos trabajos emprendas.

Este anillo se coloca en el dedo del corazón de la mano derecha.

(1) Alpha, palabra hebrea que significa Dios Creador y se lee alfa, la ph suena como f castellana.

GRAN TALISMÁN DE CONSTELACIONES. — Este talismán ha de construirse de los siete metales adecuados a los planetas procurando que los dibujos sean iguales que los del centro de su carrera, de diez a doce de la noche, procurando que esté muy claro el cielo.

Al formarle, se dirá la invocación que sigue:

"Recibe ¡Oh, admirable metal las grandes influencias planetarias de todos los astros y en particular, de Venus, para que poseas todas las gracias y virtudes necesarias a darme la dicha, el poder y la gloria según es mi deseo en esta hora. Así sea".

Esta invocación deberá repetirse luego todas las noches durante 30 días, exponiendo el talismán a las benéficas influencias de los planetas. Para usarle se observarán las reglas iniciales en el anillo y el dragón rojo.

TALISMÁN CELESTE — Como el anterior se forma de todos los metales y sólo se diferencia en que, así como aquél, debe ser blanco por dominar en él la plata sobre los demás metales, éste ha de ser amarillo porque es el oro su metal dominante. Su construcción será el domingo a la hora del alba, debiendo estar terminado a la salida del sol.

ANVERSO REVERSO

Las invocaciones se harán como en el anterior, pero en lugar de Venus, se nombrará al Sol. Para exponerlo a las influencias planetarias, se escogerán las horas del alba, hasta salir el sol por espacio de una semana terminando el domingo.

Para usarle se seguirán los procedimientos indicados.

TALISMÁN EXTERMINADOR. — Este talismán se ha de fabricar por la noche del sábado, de 10 a 12, en ocasión que la Luna llena está en el centro de su carrera y el cielo despejado y sereno. En la invocación se nombrará a Saturno. Su metal predominante será el plomo, pero ha de llevar de todos los metales.

Se expondrá durante 30 días a las influencias planetarias todas las noches de 10 a 12. Para su uso las reglas indicadas ya.

El poder maravilloso que posee sobre los malos espíritus es muy grande, por virtud de la Cruz de Caravaca, el escorpión y los círculos cabalísticos que contiene. El que use este talismán podrá imponer su voluntad a los espíritus y si se le coloca sobre persona poseída del demonio, al momento será libre.

TALISMÁN DE ISIS. — Isis, conocido con el sobrenombre de la "Buena Diosa", era la divinidad bienhechora de los egipcios. Su principal atributo era el trébol de cuatro hojas, una de las singularidades vegetales más raras que se conocen, tan rara como la felicidad, con cuyo trébol hizo el emblema isíaco. El trébol de cuatro hojas no es una especie diferente, sino el mismo trébol ordinario (trifolium pratesse) que. por la voluntad de Isis, tiene excepcionalmente una hoja de cuatro lóbulos. La planta que posee esta distinción divina, no florece jamás y no puede, por tanto, reproducirse.

Entre los egipcios que habían consagrado un culto especial a Isis, no eran iniciados en los misterios nada más que los que habían encontrado el trébol de cuatro lóbulos: el encuentro era a los ojos de los patriarcas, una evidente prueba de la protección de la diosa.

Durante la ceremonia solemne de la iniciación, el neófito ofrecía a Isis, en el momento de los sacrificios, la hoja que había encontrado, y recibía en cambio de las manos del gran sacerdote un trébol de cuatro lóbulos de plata, talismán sagrado, prenda de dicho, que juega un papel preponderante en los principales actos de la existencia.

La felicidad acompaña a este talismán. El novio se lo ofrece a la novia como prenda de amor; la madre lo cuelga al cuello de su hijo como preservativo de las adversidades de la vida, y dentro de la familia se trasmite de padres a hijos como símbolo sagrado de prosperidad. También solía colocarse en los sarcófagos, en piadoso testimonio de confianza en su eficacia hasta para la otra vida.

Para darse cuenta exacta de la gran importancia concedida por los egipcios al trébol de cuatro lóbulos, hay que consignar que lo esculpían en los monumentos y jeroglíficos. Figura el trébol de cuatro lóbulos sobre el Obelisco de Londres, llamado "Aguja de Cleopatra", y sobre la mayor parte de los libros funerarios. Se ve la famosa tabla isíaca que representa los misterios de Isis, existente en la galería real de Turín los sacerdotes de esta diosa sujetaban su túnica de púrpura con un alfiler en forma de trébol de cuatro lóbulos, prendido en los hombros.

Para su fabricación se usarán los metales plata y platino; escogiendo las horas de 9 a 11 de la noche, en día lunes y en ocasión que la Luna llena se muestre sobre el horizonte, que es el principio de su carrera.

Las invocaciones se harán en la forma siguiente:

"¡Oh, astro solitario y misterioso, que caminas eternamente por ese espacio sin límites, derramando tu melancólica luz, sobre este planeta llamado tierra, yo, el más humilde de los mortales, te pido en esta solemne hora que fijes tus rayos y mercedes sobre este metal que lleva tu imagen, dotándole de las virtudes mágicas necesarias, para que por su mediación pueda conseguir la dicha, la fortuna, la salud, el poder y el amor durante el curso de mí vida sobre este planeta. Si atiendes a mi súplica, yo te prometo en agradecimiento a tus favores, recordarte en todas las horas de mi vida".

Esta invocación se ha de repetir tres veces durante 30 noches en las mismas horas, de 9 a 11.

Para usarle, se seguirá el procedimiento expresado. Se han indicado los anteriores como verdaderamente especiales, y ahora sólo resta mencionar los más corrientes y usuales.

CAPITULO V

TALISMANES ORDINARIOS

El muy "grande y único talismán" está dedicado a Mercurio, y es por consiguiente de metal verde y rojo.

Llevándolo consigo y estando limipo el corazón, sirve contra los peligros del mundo. Enseñándolo a los espíritus, os obedecerán en todo.

A Saturno corresponden siete talismanes, de color negro.

El más principal es el que sirve para llamar a los espíritus celestes, hace huir a los guardianes de tesoros y hace ganar en toda dase de juegos.

PRIMER TALISMÁN DE SATURNO

Otro de los talismanes dedicados a Saturno es el que sirve para preservar de los temblores de tierra, por la virtud de los espíritus que se halla expresada en este talismán con los nombres Nori, Chori Josomondichi.

SEGUNDO TALISMÁN DE SATURNO

También a Júpiter corresponden otros siete talismanes, formados de metal azul celeste, que es color distintivo de dicho planeta.

Uno de los más importantes talismanes consagrados a Júpiter, es el que sirve para conocer los espíritus correspondientes a su naturaleza, y principalmente aquellos cuyos nombres está escrito en este talismán, entre los cuales se cuenta "*Parosiel*", que es el señor de los tesoros y enseña de qué manera pueden adquirirse.

TALISMÁN DE JÚPITER

A Marte se consagran seis talismanes de color rojo, entre los cuales el más principal, tiene tan grande eficacia, que llevándolo encima, no tan sólo nadie puede ofenderte, sino que los disparos de arma de fuego irán contra los que te los dirigen; cuando te halles en la guerra, te será muy necesario y te dará victoria.

También ejerce un dominio soberano sobre la tropa y sobre las multitudes, siendo grande su virtud para atraer los espíritus adictos al planeta que representa.

Con lo indicado sobre el talismán de Marte se comprenderá que su uso es conveniente a los militares en general, y a todas aquellas personas que por azares de la vida, se vean envueltas en revoluciones y guerras. Esto no quiere decir que los demás mortales hayan de privarse de él, sino que, por lo regular, cuadra mejor a quienes se sienten inclinados a las guerras, pendencias, motines y revoluciones.

En el centro de este talismán, se halla colocado un pequeño dragón de ocho garras, cuya cara, mirada al derecho o al revés, tiene la figura de la de una persona.

TALISMÁN MARTE

Siete son los talismanes consagrados al Sol y se harán de color amarillo.

Uno de los más principales es el que posee la virtud maravillosa de adquirir y conquistar los reinos y dominios ajenos. Es propio de los Reyes y grandes soberanos de la tierra. Alejandro Magno llevábalo en sus empresas guerreras.

Este talismán puede ser usado a la vez que el anterior de Marte, por ser sus propiedades en cierto modo iguales, por cuya circunstancia puede decirse que sirven de complemento el uno al otro.

Otro de los más importantes talismanes, consagrados al Sol, es el que posee la virtud de la invisibilidad, y si alguno estuviese en presidio, teniendo los hierros en los pies y en las manos, si hubiere adquirido la suprema perfección y llevare este talismán., al instante se romperían las cadenas y quedaría libre.

Primer talismán del sol - Segundo talismán del sol

Son conocidos infinitos sucesos, a cuál más maravillosos, personas perseguidas injustamente, que han sido libres por las virtudes de este talismán.

A Venus se dedican cinco talismanes, de color verde.

Uno de los más maravillosos es el que sirve para atraer los espíritus de Venus y lograr la persona que tú quieras o desees que te quiera. Su virtud es tal, que si ella se encontrase retenida de manera que no pudiese venir a verte, al invocar al talismán y ordenarle con una verdadera voluntad que haga venir a tu lado la persona querida, al momento lograrás tu deseo. Deberás, no obstante, tener muy presente que si fuera el interés y no el amor el que te guiase, no conseguirás nada. El talismán y los caracteres serán de tres metales: plata, cobre y latón. Lo bendecirás y exorcizarás, llevándolo siempre contigo de día y de noche.

Si la persona que lo posea es merecedora de sus dones, y si el talismán está dotado de todas sus virtudes mágicas, puede tener la seguridad de que alcanzará, en amor, cuanto desee.

Mercurio posee también cinco talismanes de los colores: rojo y verde, entre los cuales el más poderoso es el que sirve para adquirir la ciencia e inteligencia de todas las cosas creadas, tanto terrestres como celestiales, para saber los secretos más ocultos y para enviar los espíritus a cualquier parte que se quiera.

Seis talismanes están consagrados a la Luna, siendo el más principal el que es útil para los que viajan. Es admirable contra los peligros del agua.

EXPLICACIONES ÚTILES SOBRE TALES TALISMANES

En su "archidocto mágico" explica Paracelso que es muy digno de notarse que los planetas nunca ejercen tan bien su influencia, sino por el intermedio de los siete metales que les son apropiados y que tienen simpatía por sus substancias.

Al efecto, habiendo reconocido los sabios cabalistas que la sublime penetración de sus ciencias, cuáles son los metales apropiados a los planetas, han determinado el "oro" para el Sol, el domingo; la "plata" para la Luna, el lunes: el "hierro" para Marte el martes: el "azogue", para Mercurio, el miércoles; el "estaño para Júpiter, el jueves: el "cobre" para Venus, el viernes, y d "plomo" para Saturno, el sábado.

Sobre este fundamento, los antiguos filósofos, entre ellos Moisés y Salomón, establecieron los sellos de los planetas. Si por cualquier concepto no fuera posible adquirir los metales adecuados, bastará con que se utilicen otros del mismo o parecido color, siempre que lleve una parte del que le corresponde a cada planeta, y que se forme el talismán bajo la influencia del mismo.

Es conveniente saber también, que los maravillosos efectos de un talismán sólo pueden ser modificados por el predominio que ejerza sobre el otro talismán, de mayor virtud y fuerza, o por las cualidades y virtudes de la persona que le posea.

Es decir, que si una persona es digna del talismán cuya posesión tiene, éste la favorecerá mucho mejor que no a aquella que no sea digna de él. Deberá por lo tanto cada persona que use un talismán, hacerse merecedora de sus dones lo cual lograrán siendo modesta, humilde y virtuosa.

CAPITULO VI
De los amuletos mágicos

Desde los tiempos primitivos hasta el día, los sacerdotes de todas las religiones conocidas, han hecho uso de los amuletos mágicos como preservativo eficaz contra maleficios y enfermedades. Los árabes conservan esta tradición de tal modo, que no hay entre ellos, ya sea mujer, hombre o niño, quien no lleve un amuleto sobre el brazo izquierdo o sobre el corazón.

Esta costumbre se viene transmitiendo de padres a hijos, no sólo entre los árabes, sino que bien podría asegurarse que no hay un solo punto conocido en el globo, donde no se halle alguna persona que haga uso de ellos, ya sea en forma de piedra, ya en otra cualquiera, puesto que todas tienen el mismo objeto.

Los efectos de los amuletos, así como los de los talismanes debió Moisés las maravillas que obró en Egipto: el paso del Mar Rojo, la alimentación del pueblo hebreo por el desierto; por su virtud pudo también hacer brotar agua de una peña, hablar sobre el Monte Sinaí con el gran espíritu de Dios, Alpha y Omega de las ciencias cabalísticas y, finalmente, vencer y someter a los pueblos que hallaba a su paso.

El sabio rey Salomón fue. sin duda alguna, después de Moisés, el que logró poseer más talismanes de gran poder y virtud y a ellos debió indudablemente, el gran dominio que ejerció sobre todo lo creado y su infinita sabiduría.

Usándose con fe, preservan de hechizos y sortilegios, lo cual se debe a su misterioso poder, que ningún maleficio puede destruir. Por esto deberá ponerse especial cuidado en colocarlos sobre los niños, tanto para preservarlos de influencias maléficas, cuanto, para que ellos reciban, además, las virtudes y benignas influencias del amuleto, que obrando sobre su infantil imaginación, les sugiera cosas agradables, formando con ellos un carácter tranquilo y bondadoso.

DEL MODO DE PREPARAR LOS AMULETOS

Para obtener buenos amuletos, es necesario conocer en primer lugar las diferentes maneras de fabricarlos.

Entre los árabes, la más usada es la que empleaba el sabio Alaka Bajamet Alaja que vivía en la Meca. Este célebre mago estaba constantemente al pie del altar de las ofrendas, sentado sobre una alfombra, según la costumbre usada por ellos. Allí bajo los auspicios y ayuda del gran sacerdote Mahometalit, escribía y grababa los amuletos, los cuales formaba sobre un pedazo de pergamino virgen, tomado de la piel de un corderillo blanco.

La tinta que él usaba en los dibujitos, era preparada con sangre que extraía de las venas de las vírgenes sacerdotistas, a la que agregaba savia de plantas sagradas y tinta mineral. La tinta mineral se hacía con una disolución de los siete metales que tienen la influencia y representación de los siete planetas.

Una vez grabados y dibujados con los signos cabalísticos, se les perfumaba y colocaba sobre el altar de los siete sacrificios: luego se doblaban en cuatro dobleces y se envolvían en un papel blanco que contenía algunos versículos del Corán escritos en árabe.

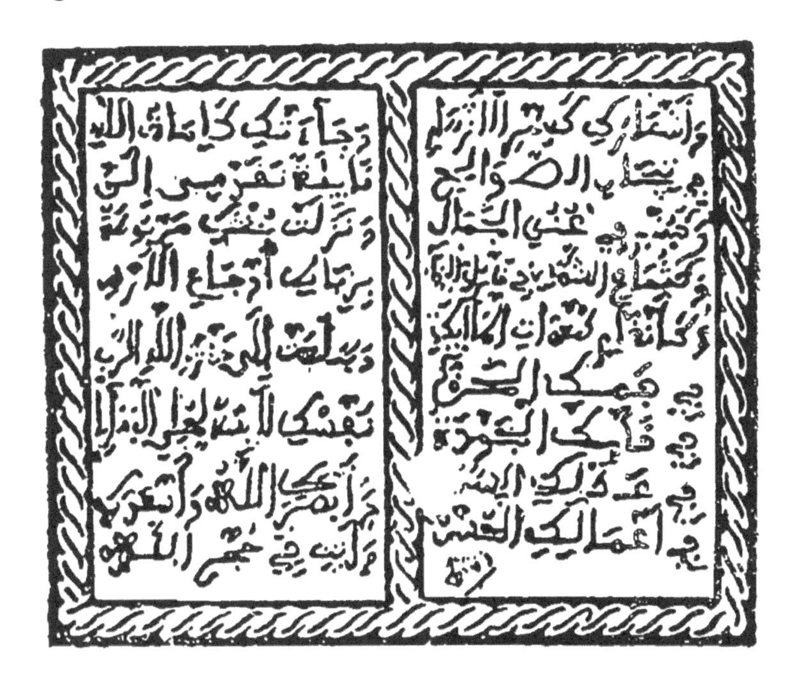

Ilustración original con Versículos del Corán

A esto se agregaba una medalla, pasada antes por el fuego del sacrificio, con signos cabalísticos y se colocaba todo sobre una pequeña bolsita de seda encarnada. Luego se perfumaba, con las plantas sagradas y olorosas, destinadas al profeta.

La medalla es el símbolo de la abundancia, recibiendo la protección del gran Nakir, el mayor entre los profetas que han consagrado su vida al estudio de las ciencias y al progreso de la humanidad.

El amuleto se coloca sobre el brazo izquierdo o sobre el corazón diciendo la siguiente invocación:

"Boas, Tubaliaón, Eluar, Adonay, Adonay, Adonay, Jarua. Menaat, sedme propicios y libradme de todo mal. lo mismo en mi cuerpo como en el alma."

La forma indicada es la más corriente entre los árabes, teniendo algunos amuletos virtudes tan raras, que el mortal que los posee adquiere el don de fascinar a los animales, como lo hacen con las serpientes, leones, panteras, etc., ejerciendo sobre ellos una especie de encanto mágico que les permite dominarlos por completo.

AMULETO CONSTELADO

Este amuleto se forma de un trozo de pergamino virgen en el cual se dibujará con tinta encamada un círculo grande, y con tinta plateada mezclada con goma arábiga, otro más pequeño.

Dentro de estos círculos se harán doce divisiones de dos rayitas cada una y se colocará en cada división uno de los signos del Zodíaco. En el centro se formará la estrella trazando cada uno de sus rayos con uno de los colores del arco iris, escribiendo también sobre ellos nombres de los planetas. Estos nombres y los de los metales que van entre los rayos, han de ser escritos cada uno con tinta del metal que representa.

En el centro de la estrella se dibuja la imagen del Sol, y tanto éste como sus rayos, irán hechos con tinta de oro y amarillo rojo.

Toda la operación indicada debe hacerse de noche y en la hora de cada planeta, se dibujará éste y el nombre del metal que le representa.

Los dibujos del centro deberán principiarse el lunes con la Luna, para poder terminar el domingo con el planeta Sol.

Luego se agrega una hoja de papel de plata y otra de oro, o bien una planchita o moneda de cada metal, se coloca y se dobla el pergamino en cuatro dobleces, envolviéndole en un papel blanco con los versículos del Corán que se exponen en el dibujo.

Todo esto, cuidadosamente envuelto, se coloca sobre una bolsita de seda verde y se expone a la influencia de los astros como se dirá en el capítulo siguiente que trata del modo de adquirir para los talismanes y amuletos las buenas influencias de los planetas.

Hay quien agrega ya una piedra imán, un diente de un ahorcado, a una cabeza de ajos, etc., con la cual se consigue mayor virtud, pero no es de absoluta necesidad, y no siempre se pueden adquirir esos objetos.

Con este amuleto está uno libre de ser herido por arma de fuego, puesto que las balas se vuelven contra quien las dispara o no sale el tiro[v].

AMULETO EVANGÉLICO.— Es bastante corriente entre los cristianos el uso de este amuleto, formado por un pequeño libro que contiene impresos los cuatro evangelios. Estos se han de leer en presencia del niño, por un sacerdote, bendiciéndolos con agua exorcizada. Se coloca el librito en una bolsa de raso verde o azul, y se cose en la ropa del niño, sobre el costado izquierdo por la parte interior.

Es muy eficaz para evitar que los niños reciban influencias maléficas tales como sortilegios, hechizos, mal de ojo, etc., que producen a los mismos, enfermedades incurables y, a veces, la muerte.

CAPITULO VII

De la manera de lograr que los amuletos y talismanes posean virtudes y eficacia

Para dotar de las necesarias virtudes a los talismanes y amuletos, es conveniente que la persona que haya de usarlos, dedique durante treinta noches, la hora de diez a once, a la contemplación de los astros, exponiendo el talismán colocado sobre un pequeño plato nuevo, para que reciba las benéficas influencias. La mitad del tiempo, o sea, media hora, lo pondrá de un lado y la otra mitad de otro.

Cada noche recitará en esta hora cuatro veces la siguiente plegaria, teniendo colocada la mano derecha sobre el talismán o amuleto y la mirada fija al cielo estrellado.

"Dirigid vuestros efluvios ¡oh astros soberanos! hacia este pedazo de metal (o pergamino) que os representa en este planeta llamado tierra y dotadle de todas las virtudes y cualidades que sean precisas, para que tenga el absoluto poder de dominar sobre los buenos y malos espíritus, según sea mi deseo; para que pueda por vuestro favor y mediación vencer todos los contratiempos de la vida, adquirir riquezas y poderío, no ser molestado ni vencido por personas ni por espíritus, estar libre de maleficios, encantos y demás sortilegios. Que nadie pueda darme mal o daño y que posea un absoluto dominio sobre los astros, los elementos de la tierra, los espíritus y las personas. Ruego también a los buenos espíritus de luz, Adonay,

Ariel, Jehová y Mitratrán, le adornen de los dones de la sabiduría, a fin de que por sus mágicas virtudes logre yo cuanto me proponga".

"Segunda vez pido a los astros, elementos y espíritus creados, que escuchen mi ruego en esta solemne hora, y que le doten de la gracia, para que por su medio logre yo cuantas maravillas me proponga, siempre en obra del bien propio y de mis semejantes".

Es necesario para alcanzar los beneficios que se deseen por medio de talismanes y amuletos, adquiriendo la suprema perfección por la práctica constante de las virtudes. A este fin es conveniente estrechar la pereza haciéndose diligente; la lujuria, deberá cambiarse por la castidad o el uso moderado de los placeres; la vanidad y el orgullo, se trocarán en paciencia y humildad y así sucesivamente.

A medida que vayamos corrigiendo nuestros defectos, adelantaremos en el camino de la suprema perfección que es la que nos hará dignos de adquirir el don de dominarnos a nosotros y subyugar a nuestra voluntad y albedrío cuanto encierra la creación, tanto en lo espiritual como en lo material.

No deben olvidarse las advertencias hechas de ser pacientes y sufridos, pues faltando estas virtudes será difícil la posesión de la ciencia secreta y de la verdadera sabiduría que sólo se alcanza a fuerza de perseverancia en la investigación de las cosas naturales y espirituales.

CAPITULO VIII
EL ESPEJO SECRETO DE SALOMÓN

Es muy importante que sepáis cómo se hace el espejo de que se sirvieron los sabios cabalísticos siguiendo al gran Salomón, hijo de David, que estuvo dotado de la sabiduría y poseyó las ciencias ocultas.

Este espejo se hace en cuarenta y ocho días, comenzando por una luna nueva hasta el plenilunio de la siguiente.

Veréis en este espejo todas las cosas ocultas que deseéis, si así es la voluntad de los espíritus superiores.

Durante este tiempo no cometeréis ninguna acción mala, ni tendréis ningún mal pensamiento y haréis muchas obras de piedad y de misericordia.

Tomad una placa luciente y bien pulimentada de acero, y escribid encima en los cuatro extremos, estos nombres: "*Jehovan*", "*Eloim*", "*Mitratón*", "*Adonay*" y poned dicha lámina de acero en un lienzo bien limpio, blanco y nuevo, y cuando veáis la luna nueva y a la primera hora después de haberse puesto el sol, acercaos a una ventana y mirando al cielo y a la luna con devoción decid: "¡Oh, rey eterno y universal! Tú que dominas sobre todas las cosas y eres sabedor de todos los misterios, dígnate concederme el don de la mirada que todo lo ve y haz que se digne el ángel Azrael aparecérseme en este espejo."

Tened preparados carbones nuevos, hechos de madera de laurel y encendidos, arrojad sobre ellos, por tres veces, perfume y decid:

"En este, por este, y con este espejo, pienso y deseo ser sabio, por la voluntad suprema, y por la intermediación del ángel de luz Azrael".

Decid esta invocación tres veces, al arrojar los perfumes, después de lo cual, soplad sobre el espejo y recitad esta oración:

"Ven, Azrael, y complácete en hacerme compañía en el nombre del que todo puede y lo ordena con sabiduría infinita".

"Ven Azrael, en el nombre sacratísimo de Jalma; ven en mi nombre a este espejo y con amor alegría y paz, muéstrame las cosas que permanecen ocultas a mis ojos".

Después de recitada esta invocación, elevad los ojos al cielo y decid:

"¡Oh, Espíritu Supremo, que pones en concertado movimiento todas las cosas: oye mis votos; séate agradable mi deseo! Ordena a Azrael que comparezca en este espejo y llenará de satisfacción a este tu siervo, que te bendice a Ti que reinas excelsamente por todos los siglos. Amén".

Cuando hayáis recitado estas invocaciones, pondréis la mano izquierda sobre el espejo y extenderéis a la derecha sobre el espacio infinito. Repetiremos esta ceremonia durante los 48 días, al fin de los cuales o acaso antes, se os aparecerá el ángel Azrael, bajo la figura de un hermosísimo niño. Entonces podéis pedirle lo que queráis que os muestre en el espejo mágico.

CAPITULO IX
NIGROMANCIA O ARTE DE EVOCAR A LOS MUERTOS

Se ha hablado mucho sobre las invocaciones y consultas acerca de las cosas del porvenir por medio de los manes, que hacían aparecer los muertos, a quienes querían consultar sus sombras.

Esta clase de adivinación se practicaba con gran fervor entre los griegos, quienes recibían oráculos, esto es, respuestas ciertas sobre el porvenir.

Existían mágicos que presidían estas prácticas y esos mágicos exigían que los sacrificios fueran hechos a los manes del difunto, a fin de tenerlos propicios, sin lo cual permanecían sordos a las preguntas que se les hacían.

Habiendo consultado Saúl a una nigromántica, ésta hizo ver la sombra de Samuel, que le predijo toda suerte de cosas.

El emperador Basilio, que reinó en Constantinopla, habiendo perdido a su hijo Constantino a quien amaba infinitamente, se consagró a la Nigromancia y por los consejos de un monje herético llamado Santabrenus consiguió hacer aparecer un espectro que tenía una grandísima semejanza con su hijo.

En Salamanca y en Toledo, siglos pasados, existían escuelas de Nigromancia en profundas cavernas, a donde acudían no pocos sabios.

Para evocar los muertos se ha de llevar colocado el anillo de Salomón en el dedo corazón de la mano derecha, y después de elevar el espíritu a Dios, se colocará la mano sobre la parte del corazón del cadáver y se dirá:

"Yo te conjuro, criatura que fuiste y ya no eres, de parte de los espíritus cuyos nombres lleva grabados este anillo mágico e imantado, que atiendas a mi llamamiento y contestes a las preguntas que voy a hacerte".

Talismán divino.

"Segunda y tercera vez te conjuro a que tus labios formulen las respuestas que te pido, por el poder maravilloso de este sagrado anillo, representación del que Salomón poseyó durante su vida".

Teniendo tu mano sobre su corazón, le preguntarás, y si eres digno y virtuoso, te obedecerá en el acto.

Círculo para la consagración de los talismanes

INVOCACIONES, PACTOS Y EXORCISMOS

Al que leyere:

No habrá de olvidar el que intente poner en práctica los experimentos que aquí le han de ser revelados, que precisa estar limpio de impurezas que ha de poner toda su fe y voluntad en las ceremonias y conjuros, que ha de ser temerario en sumo grado, sin dejarse impresionar si algunos espíritus malévolos tratan de notificarle para que desista de su empresa. El que tenga fe y temeridad, llegará a conseguir el dominio de las cosas maravillosas: pero el que sea temeroso y apocado de ánimo se expone a ser atormentado y mortificado, sin conseguir beneficio ninguno.

Hecha esta declaración, que puede servir de prólogo, pasaremos a explicar las diferentes clases de seres sobrenaturales coa quienes habremos necesariamente de tratar, si ponemos en práctica las indicaciones que se hallarán en el curso de la obra.

CAPITULO I

DE LOS ESPÍRITUS EN GENERAL

Los espíritus se dividen en varias clases siendo por lo tanto diversas sus facultades y condiciones.

El espíritu Supremo o Creador es el que todo lo rige y gobierna, y a El están sujetas de un modo absoluto todas las cosas creadas, así espirituales como materiales.

A sus inmediatas órdenes, y como jefes principales, se hallan los espíritus superiores a los cuales siguen en relación de su categoría, los medios e inferiores. Cada espíritu reúne cualidades y acepciones distintas. Los hay celestes, aéreos, terrestres e infernales, denominándose, según sus condiciones, de protección, misericordia, tentación, de bien y de daño.

Cada uno llena su misión especial en el universo y todos en absoluto rinden culto y obediencia al Supremo Creador y Espíritu Soberano.

Es regla general en todas las regiones, admitir como verdad fija la existencia del espíritu del bien y del mal, haciéndolos antagónicos entre sí. Esto no lo puede admitir la ciencia sagrada de la verdadera magia por la razón de que el bien y el mal son el complemento de todas las cosas. Así como no hay placer sin dolor, así en toda la creación tiene por necesidad que existir lo absoluto y lo relativo, que es su complemento. Puede asegurarse, por lo tanto, que el bien está unido al mal, la dicha a la infelicidad, la pena o la alegría, la vida a la muerte, el espíritu a la materia, el alma al cuerpo, el calor al frío, la luz a la obscuridad, y a este tenor se podrían enumerar infinitos asuntos.

Los espíritus pueden ser, individualmente, buenos o malos, de luz o tinieblas; pero todos absolutamente llenan su misión con arreglo a las leyes que tuvieron en su creación. Así se comprende que los espíritus de tentación, se dediquen a tentar; los de misericordia y protección a proteger, etc. Los llamados celestes residen en el cielo, los aéreos en el aire, los terrestres en la tierra» y los infernales en sus guaridas.

Aparte de que cada uno llena una misión, como ya se ha dicho, todos, sin embargo, deben respeto y obediencia al Espirita Supremo, cuyo nombre es Jehová en hebreo. Alpha y Omega en caldeo. Alá entre los moros, y Dios entre los cristianos. En los trabajos se puede invocar a todos, pero deberán llamarse únicamente los de una u otra cualidad, según la clase de petición que se haya de hacer.

Es decir, que cuando el conjuro sea de tentación se llamará a los de tentar; cuando sea de agrado o amor a los de agradar: si es de bien, a los buenos; y si de mal a los malos, o de daño; y así sucesivamente.

Los espíritus buenos dominan siempre sobre los malos; no así éstos sobre aquéllos, por tenerlo así dispuesto el Soberano Hacedor, a quien todos rinden una obediencia absoluta.

Téngase muy presente que el signo de la cruz, llamado signo de redención, tiene tal virtud y fuerza sobre los malos espíritus, que no pueden resistir su vista, y únicamente hallándose aposentados dentro de una persona o animal impuro, o bien obligados por la fuerza de algún conjuro o invocación, es como pueden permanecer a su lado.

Para invocar a los espíritus de luz o celestes, tampoco deberá usarse por ser para ellos un signo de gran veneración y respeto, dando por resultado que su contemplación les extasía y subyuga, sin dejarles prestar atención a ninguna otra cosa. Por esto se ha indicado que la cruz deberá retirarse de todas las ceremonias mágicas y únicamente podrá usarse en los experimentos o en las invocaciones que se hagan a los principales espíritus celestes superiores. Hechas estas advertencias, se indicarán las diferentes jerarquías y nombres de los espíritus a los cuales se habrá de invocar según las experiencias que quieran ejecutarse.

CAPITULO II
De la jerarquía de los espíritus

EL ESPÍRITU SUPREMO

El Espíritu Supremo es el Hacedor de todo lo creado, sobre el cual nadie tiene mando, y a quien todos deben obediencia, sumisión y respeto. Es tan inmensa y tan grande, que no hay un solo átomo en toda la creación a donde no llegue su misterioso fluido.

Del Espíritu Supremo se derivan todos los demás espíritus, puesto que éstos no son en realidad sino partes del gran todo. Por esta razón la ciencia mágica demuestra que, si bien los espíritus se dividen en varias clases, todo a medida que se van perfeccionando y una vez llenada la misión que el Supremo Creador les ha encomendado, vuelven de nuevo a identificarse con él.

Todo en el universo constituye una vida única, animada por el Espíritu Divino y nada existe en realidad que no sea por él alimentado.

Bien, puede, por lo tanto, llegarse a la afirmación absoluta de que el Espíritu Supremo es eterno e infinito, que todo lo rige y dispone, siendo a la vez la causa de las causas y principio de todo lo creado.

Para El no existe tiempo, espacio ni medida, y aunque es difícil poder expresar su grandeza, trataremos de hacer algunas observaciones que nos den una ligera idea de su inmensidad y de la obra y maravillas de la creación.

Figúrese el lector, por un momento, que se propone emprender un viaje a través del espacio infinito. Pues bien: admitiendo como punto de base la velocidad de la luz, que camina con una rapidez de 77,000 leguas por segundo, y tomando la tierra como punto de partida, hará cuenta de que se dirige a un punto cualquiera del espacio. Al primer segundo habrá recorrido 77,000 leguas, al segundo 1 44,000 y a los cien 770,000. Con esta velocidad maravillosa en un minuto de viaje se estará a la distancia de la tierra de 4.420,000 leguas.

Siguiendo esta marcha durante días, meses, años y siglos, se habrán recorrido miles de millones de leguas, cuyo cálculo no hay posibilidad de determinar, pero con ser esto tan maravilloso resultaría que después del espacio recorrido y aun continuando con la misma velocidad durante millones de años, no se llegaría jamás al límite de lo infinito, por la sencilla razón de que lo infinito no tiene límite. Así se debe considerar al espíritu soberano, puesto que es eterno, y lo eterno no tiene principio ni fin. Por lo tanto y habiendo demostrado que este espíritu lo llena y lo vivifica todo, puede calcularse lo difícil que ha de ser a los hombres expresar ni comprender su inmensidad.

Las palabras "infinito", "eternidad", y "Ser Supremo", escapan por completo a la penetración humana, puesto que nuestra inteligencia es demasiado limitada para poder definirlas.

Goethe a Eckerman decía: El Ser Supremo es incomprensible al hombre; no tiene de El más que un sentimiento vago, una idea aproximada, lo cual no quita que estemos tan identificados con la divinidad, que puede decirse que ellas nos sostiene; que en ella vivimos y por ella respiramos. Sufrimos y gozamos, según las leyes eternas, ante las cuales representamos a la vez un papel activo y pasivo. Poco importa que lo reconozcamos o no. Él niño saborea el dulce sin inquietarse en saber quién lo ha hecho, y el pajarillo picotea la cereza sin pensar de qué ha brotado. ¿Qué sabemos de la idea de Dios, ni qué significa en definitiva esta estrecha intuición que tenemos del Ser Supremo, aunque se le designara, como los turcos con un ciento de nombres quedaría infinitamente debajo de la verdad: ¡tan innumerables son sus atributos!

Como la divinidad se manifiesta no solamente en el hombre, sino igualmente en la naturaleza entera y en los acontecimientos del mundo, la idea que podemos formarnos de ella, es de todo punto insuficiente.

Hecha esta ligera explicación sobre el Espíritu Supremo, pasaremos a tratar de los espíritus celestes, según su importancia y jerarquía.

Para la mejor comprensión de los capítulos sucesivos, exponemos a continuación dos tablas que contienen las figuras de los principales espíritus de luz, y los signos que emplean para firmar sus pactos con los hombres.

FIGURA Y FIRMA DE LOS ESPÍRITUS CELESTES SUPERIORES

Ilustración original

CAPITULO III
ESPÍRITUS SUPERIORES

Espíritus Superiores son aquellos que se consideran primeros en categoría y que tienen por lo tanto la potestad de mandar sobre los demás que se hallan en inferior escala.

El primero de todos es Adonay, llamado Ángel de Luz, que recibe directamente del Ser Supremo las órdenes que ha de trasmitir a los demás.

A su inmediato servicio y con idéntica potestad, hay otros dos, cuyos nombres son Eloin y Jehovam, que tienen la misión de hacer cumplir los mandatos que Adonay recibe y que ellos transmiten a su vez a los espíritus encargados de su ejecución.

Luego siguen en jerarquía Mitratón, Azrael, Astroschio, Eloy, Milech, Ariel y Zenaoth, que también tienen a sus órdenes otros muchos espíritus que les rinden gran obediencia absoluta.

De aquí se deduce que van ascendiendo en categoría a pesar de ser considerados como espíritus superiores, por lo que bien podría denominárseles de primera, segunda y tercera magnitud, siendo el principal de todos el gran Adonay, o el Ángel de Luz, como se ha dicho.

A continuación, daremos una idea aproximada de los espíritus celestes que puede decirse forman verdaderos ejércitos, tanto por su organización, como por la obediencia con que ejecutan las órdenes que reciben de sus superiores.

CAPITULO IV

De los espíritus celestes

Llámanse espíritus celestes a los que habitan el firmamento y los astros que giran por el espacio. Sus funciones son presidir el destino de cada mortal y dirigir los acontecimientos que le conciernen, conforme a la voluntad del Divino Creador. Por eso los espíritus celestes están al abrigo de todas las emboscadas de los genios dañinos.

Cada espíritu celeste no puede obrar con arreglo al astro a que corresponde y según lo que le permite la omnipotencia divisa, porque Dios sólo le da el poder de obrar.

Por esta razón, dichos espíritus no pueden emprender nada sino bajo la dirección divina y sólo cosas que conducen a un buen fin, como lo confirma la historia del mundo desde su creación.

Hay siete gobernantes que tienen funciones diferentes. Sus astros visibles son: Aratón. Bethor, Praleg. Och, Hageth, Ophiel y Phul, a los cuales se les atribuyen las condiciones siguientes:

1º. Aratrón, tiene el poder de cambiar instantáneamente en piedras o metales objetos diferentes y al contrario, por ejemplo: convierte el carbón en oro y viceversa; enseña la Alquimia, la Magia, la Física, hace invisibles a los seres y da larga vida.

2º. Bethor, confiere las altas dignidades acerca del hombre a los espíritus que le dan respuestas exactas, transporta los objetos de un lugar a otro, proporciona piedras preciosas y prolonga la vida indefinidamente, si Dios lo permite.

3º. Phaleg, pertenece a los atributos de Marte, establece la paz y eleva a las altas jerarquías militares a quienes han recibido su marca.

4º. Och, preside a los atributos del Sol, y da larga vida y salud, distribuye la sabiduría, enseña la medicina y da el poder de cambiarlo todo en oro puro, y en las piedras más preciosas.

5º. Hageth, bajo la influencia de Venus da muy grande hermosura a las mujeres que honra con su protección, les distribuye todas las gracias, cambia el cobre en oro y al contrario.

6º. Ophiel, posee el poder de la transmutación metálica. hasta el astro Mercurio; da el medio de transformar la plata en oro, transformación en que se funda, según la Alquimia, la gran piedra filosofal.

7º. Phul, gobierna las regiones lunares. Su potencia se extiende a la curación de infinitas enfermedades, cambia todos los metales en plata, protege al hombre que navega y da larga y poderosa vida.

No olvidar jamás que todo es posible a quien tiene fe y voluntad, y que, por el contrario, nada conseguirá quien carezca de ambas cosas.

No hay obstáculos mayores que los que operen el aturdimiento, la ligereza, la inconstancia o la frivolidad, el desarreglo y las pasiones desordenadas.

Quien quiera poseer el don de la magia, tiene que ser antes que todo hombre honrado, virtuoso, constante en sus palabras y en sus acciones, firme en todos los trabajos, prudente y avaro solamente de su sabiduría y creyente leal en la empresa que acomete

Hecha, la anterior digresión por considerarla de verdadera utilidad, pasaremos a tratar de los gnomos.

CAPITULO V
Los gnomos

Tras la especificación hecha de toda clase de espíritus detallando los elementos que pueblan, propiedades y funciones que tienen encomendadas según sus instintos innatos o impuestos por el Rey de los Ámbitos, manera de suplicar su concurso en nuestras empresas mágicas, etc., vamos a tratar ahora de otros seres también espirituales pero que, desligados en todo de los anteriores, forman una nueva legión y obran y accionan con libertad absoluta en relación a los demás.

Gnomos, es el nombre de estos espíritus y están definidos por Arbatel en los anales de la magia, para conocimiento de sus secuaces del siguiente modo: los espíritus guardadores de tesoros, íntimos a la humanidad, de la cual forman parte integrante, son invulnerables a nuestros encantamientos más sutiles.

Esta acotación, escrita de puño y letra del gran Arbatel, ha sido generalmente mal interpretada en una de sus partes más significativas, debido a la poca ciencia comprensiva de los genios que han tratado tan escabrosa rama del saber, y es, en lo relativo al principio del versículo antes mencionado, pues debo advertir que las sentencias y máximas inscritas en el Libro Rojo, obra maestra de Arbatel, está en árabe y doy la traducción para aquellos que, no impuestos en los secretos de este arcano, no puedan por sí solos, a la voz de un conjuro, hacerse con el original, libro raro, escrito en hojas de pergamino, que Olympiadoro y Sinesio ensayaron en balde de copiar, por la sencilla razón de que a medida que escribían. se iban borrando los caracteres; sin embargo, tal fue el empeño de ambos por conocerlo, que consiguieron retener en la memoria algunos párrafos, los cuales les fueron muy útiles en sus experimentos de alquimia logrando hacer artificialmente oro y brillantes. Mas, apartándonos de digresiones, diremos que la calificación de guardadores de tesoros a que antes aludiéramos es la hiperbólica y de sentido figurado, pues su autor no sólo se refiere a los tesoros que se hallan ocultos en forma de minerales, piedras preciosas, moneda acuñada, etc., sino también a la inteligencia del hombre que, bien entendido, es la riqueza mayor de que estamos dotados los mortales y de la cual se convierten en sus más fieles guardianes, dirigiéndola por el camino de la suprema perfección.

Tenemos no obstante, que dar una suscinta explicación a aquellos incrédulos que hacen supeditar el libre albedrío de estos espíritus a la materia; y al efecto exponemos lo siguiente:

— El espíritu — dice el doctor Hermán Scheffer — no es otra cosa que una fuerza de la materia, resultando inmediatamente de la actividad nerviosa: más objetamos con Flammarión, ¿de dónde viene esa actividad nerviosa?, ¿qué es sino el espíritu el punto donde radica esa potencia? ¿Acaso es el alma la que obedece y se somete al cuerpo o éste al alma. . .?

Dogmas son que caen por su base y a los que no debemos dar importancia, aunque hayan sido sostenidos por eminencias como Laugel, Maleschott. Bücher y otros afamados profesores.

Téngase presente que nuestro espíritu se halla constituido de tal modo, que en su composición entran una inmensidad de pequeños espíritus, que trabajan constantemente en el desarrollo de nuestras ideas y éstos en relación directa con los gnomos son los que producen en nuestra alma sensaciones de placer, alegría, valor, cariño, simpatía, temor, tristeza y otras muchas que, sin darnos cuenta exacta de su origen, se apoderan de nosotros de un modo absoluto.

Estos espíritus son tan diminutos que para hacer su comparación, habríamos de decir que parecen átomos[vi] , lo cual no es obstáculo para que sean tan exactos en el cumplimiento de su deber, que tan pronto como aparecemos a la faz del orbe y aspiramos el primer hálito de vida, ya somos víctimas de su benéfica invasión, que nos acompaña y dirige hacia el término del destino que la providencia nos señaló de antemano.

Tan complejo, amplio e importante es ese papel que desempeñan en nuestra existencia, que casi podemos decir que dependemos de ellos, sin temer el arrepentimos y, por razón natural, son los que debiéramos conocer para explicarnos muchos de los fenómenos que nos suceden y que hasta ahora han quedado sin explicación categórica.

La residencia de los gnomos son las ondas aéreas y, como sus moradas, nunca están en reposo. Además, tienen la propiedad de penetrar por todos los poros de la tierra y hasta se filtran en el corazón de las montañas.

Tienen un poder omnímodo sobre la imaginación del hombre, son su égida en los peligros, su inspiración en la duda, su horóscopo de lo futuro; de ahí vienen las preocupaciones que tenemos, las cuales siempre suelen ser ciertas.

Es el céfiro transmisor de las órdenes, demandadas o ruegos de los hombres a los espíritus de éstos entre sí, y tal es su convicción de lo bueno y lo malo, que sí va en perjuicio de los seres racionales la voz que arrastran a su destino, tratan de librarse de su posible carga, chocando con los obstáculos que encuentran a su paso, desbaratando de este modo el poder de los espíritus no congéneres, los cuales nada pueden hacer para contrarrestar sus impulsos justicieros, pues como ya hemos dicho, los gnomos tienen por misión principal, velar por el equilibrio de los talentos amenazados de las fastuosas maravillas de los espíritus malignos.

También hemos hecho notar que la influencia o acción de los gnomos es ejercida sobre el cerebro, y por lo tanto, ellos son los engendradores de la ilusión de los sentidos.

Quieren al hombre y le proporcionan una vida inmaterial, le hacen soñar y le enseñan a sentir, porque no es verdad como se cree que el sueño no sea más que una retrotracción de pensamientos ya impresos en nuestra masa encefálica, no; la imaginación es incesante como los mismos gnomos que la incitan a funcionar, estando dispuesta a crear en todo momento y si faltase esta mecánica, la materia se confundiría, hasta el momento en que llegase su transformismo total, que no sería lejano.

Únicamente pueden existir diferentes grados de actividad mental o relativo reposo en relación al género de células que vibran en nuestro entendimiento, pudiendo afirmarse que cuanto más en contacto esté el objeto o imagen, causa del movimiento fisiológico, con lo material y mundano, más agitado está el sistema nervioso, en virtud de estar en tensión más número de nervios de la prodigiosa fábrica de nuestros organismos.

¿Pensáis por ventura que esas inmensas moles de granito cuya geognosia son, en su mayor parte pequeños cristales de cuerzo feldespato, mica y ortosa, que se elevan a infinidad de metros sobre el nivel del mar, permanecen inmóviles y en reposo absoluto. Pues no; ¡vibran todas sus moléculas, por razón de la cohesión y expansión de los átomos en que el éter imprime su movimiento y vacilaréis ahora si os digo que la materia viva es incesante en sus fases cuando hasta las masas, inanimadas aparentemente no lo son? y más aún, si confesáis que la materia organizada está constantemente en vigor ¿qué diréis de los espíritus en cuya substancia se sintetizan estas cualidades y una poderosa de que carecen el resto de los elementos del cosmos?...

Nada más bello que abandonarse a estos espíritus que nos proporcionan placeres quizá platónicos, porque nuestro ser no disfruta al unísono del alma, pero ésta se purifica y aprende a pensar en lo divino o sobrenatural cuando transpórtanos estos graciosos espíritus en alas del deseo a regiones ignotas y nos hace experimentar mil sensaciones que nos sobrecogen de respeto haciendo brotar en nuestra mente ideas vagas como bosquejos de una felicidad anhelada que empieza a conseguirse.

Hacen arrugar nuestra frente acreditando utopías posibles para nosotros que empezamos a esclarecer con su luz germinadora y gozamos un éxtasis embelesador elevándonos cada vez más al sol esplendente de la verdad, el que brilla en el inmenso espacio del Bien supremo.

Ángeles del infortunio luchan contra la maldad imposibilitando su progreso, aunque no pueden destruirla obedeciendo a leyes de la naturaleza.

Con facilidad observamos la injerencia de estos espíritus ca nuestros designios, puesto que están íntimamente unidos a ellos; así es que si llevamos a cabo un daño, tras la vacilación interior, tenemos el remordimiento, y si se trata de un bien el gozo inefable de una dicha unida a la satisfacción frecuente que el alma manifiesta por una obra realizada.

¿Cómo podemos explicarnos esa alegría a ese pesar "sui generis" de que nos vemos poseídos a veces, sin causa visible que le despierte, si no es por los gnomos que graban en el centro de nuestro sistema nervioso los ecos de un próximo acontecimiento? Son ellos que nos avisan, no para dar margen a nuestro desenfreno o abatimiento, sino para precavernos de una impresión repentina y para que vayamos poco a poco familiarizándonos con la tentación que vamos a sufrir, haciéndonos de este modo superiores a nosotros mismos.

¿No es verdad que, cuando hablamos de una persona a quien no hemos visto desde largo tiempo, suele suceder que aparece ante nuestros ojos en breves instantes? ¿Pues a qué puede atribuirse esto, si no es a los gnomos? Este malestar que nos asalta al permanecer delante de un extraño que nos mira; esa antipatía o simpatía que nace a la primera ojeada entre dos personas, y esta predisposición benévola que tenemos hacia los astros magnánimos, ¿qué son sino tantos ejemplos de la existencia de estos espíritus que pónense en contacto?

Sí, cien veces sí; son fluidos inherentes; nuestros compañeros inseparables durante el tránsito que, más corto que largo, todos sufrimos, y lo que tenemos que procurar es hacernos merecedores de su auxilio, que estriba en la reflexión de nuestros actos, cuidando que a su llamamiento siga nuestra sumisión a sus inclinaciones, llegaremos en línea recta al sumun de la sabiduría que está acordada por el Altísimo a sus elegidos.

CAPITULO VI
DE LO INFINITO

Encontraréis el infinito en la materia, en el espacio, en el movimiento, en los astros que tachonan la bóveda celeste, y en cuantas cosas pongáis vuestra atención o vuestra mirada.

El hombre debe estar orgulloso de la exploración que realiza de los insondables espacios, y de que, gracias a su sagacidad, se le hayan revelado muchos de los secretos de la naturaleza.

Es preciso, sin embargo, guardarse de estudiar la moral contenida en los escritos ignorados de la multitud de los sistemas, producidos por arrebatos de imaginación, por inquietudes de hombres exaltados con la idea de conseguir grande y rápida celebridad.

Deben desterrarse todas las obras que tengan tal carácter y acoger tan sólo las reputadas y admitidas en todos los pueblos que son las que han de revelarnos los secretos del infinito, palabras mágicas que, por sí solas, abarcan una serie inalterable de maravillosos y desconocidos arcanos.

Entre lo infinito se ha de apreciar, en prim.er término, el espacio, del cual puede decirse que es el mundo de los prodigios y de los misterios, los cuales se producen constantemente ante nosotros, sin que de ellos podamos tener la más ligera idea.

El espacio está poblado de innumerable multitud de seres un poco siniestros en apariencia, pero dóciles en realidad; estos seres. son amantes de la ciencia, sutiles, serviciales para con los hombres ingeniosos o sabios y enemigos de los tontos y de los ignorantes.

Los seres de la expresada clase que pueblan al aire, se llaman sílfides" los que pueblan los mares y los ríos se llaman "ondinas" y los que se encuentran poblando la tierra desde sus mismas entrañas, se llaman, "gnomos" y son los guardadores de los metales y la pedrería.

Los gnomos, que, como se ha dicho, poseen en el más alto grado la virtud de ser propicios a los hombres sabios e ingeniosos, proporciona a los adornados de estas cualidades, los tesoros de pedrería y metales; sin otra recompensa que la satisfacción de ser serviciales.

En el centro inflamado de la tierra, que es la región del fuego, viven las salamandras propicias a los filósofos.

Existe también otra clase de seres invisibles llamados "genios familiares', Sócrates, Pitágoras. Platón, Celso, Zoroastro y tantos otros que han brillado en las más altas esferas de la filosofía, dominando en los diferentes ramos del saber humano, deben a sus "genios familiares" su relevante sabiduría, y lo mismo que estas tan renombradas personalidades, todos, hasta los más torpes tienen un genio que les inspira, de cuya existencia no pueden dar fe los oídos; pero que es el que positivamente influye en todos los juicios que el hombre forma, aunque no sea tan eficaz y activo cuando influye sobre un torpe que cuando lo hace sobre un inteligente.

Además de los ya mencionados, podrían enumerar otros machos, que como los duendes y trasgos, se dedican a molestar a los hombres con golpes, ruidos y otras muchas manifestaciones que nos sirven para conocer su existencia.

La materia constituye el todo de la creación. No existe absolutamente un solo punto en el universo que carezca de esta substancia. Esta forma los mundos, el agua, el aire, y así como el Espíritu Supremo lo llena y vivifica todo con su esencia divina, la materia proporciona los elementos que a nuestros ojos se manifiestan de un modo tangible.

No es posible al hombre destruir la más mínima parte de la materia, y tomando como norma una simple hoja de papel de fumar, se verá, que aunque se queme y se machaque, jamás se logrará suprimirla en absoluto.

Átomo es la parte más íntima de la materia. Para constituir un grano de arena del tamaño de la cabeza de un alfiler serán precisos ¡ocho sextrillones de átomos!, o sea, 8.000.000.000, 000.000,000 000.000.000, 000.000,000. que suponiendo, cual dice Grandin, que se quisiera contar y que pudiera hacerse a razón de un millar por segundo igual a sesenta mil por minuto, se necesitaría ¡pásmese el lector! 150.000 años, para acabar de contarlos. ¡Quién podrá explicar, después de este cálculo el número de átomos de que consta toda la materia creada!

CAPITULO VII

JERARQUÍA COMPLETA DE LOS ESPÍRITUS INFERNALES

Es muy útil para el neófito conocer también toda la jerarquía de los espíritus infernales que ha de tener a su disposición mediante el pacto.

Lucifer; emperador; Belzabet, príncipe; Astaroth, gran duque.

Estos son los principales espíritus del reino infernal.

Vienen después los espíritus superiores que están subordinados a los anteriores y son:

Lucífugo primer ministro; Satanachia, gran general; Agaliareth gran general; Fleuretty, teniente general; Sargatanas, brigadier; Nebirus, mariscal de campo.

Los seis grandes espíritus que acaban de citarse, dirigen por su poder, toda la potencia infernal que ha sido dada a los otros espíritus.

A sus inmediatas órdenes, y como emisarios especiales se hallan tres espíritus superiores, cuya ocupación es transmitir los órdenes que reciben; sus nombres son: Mirión, Belial y Anagatón.

Tienen a su servicio dieciocho espíritus más que les están subordinados, a saber:

BELZEBUTH	LUCIFER	ASTAROTH
1 Bael		10 Bathin
2 Agares		11 Pursan
3 Marbas		12 Abigar
4 Pruslas		13 Loray
5 Arimon		14 Balefar
6 Barbatos		15 Foran
7 Buer		16 Ayperos
8 Gustatan		17 Nuberus
9 Botis		18 Blayabolas

Después de haber indicado los nombres de estos dieciocho espíritus, que son inferiores a los seis primeros, conviene saber lo siguiente:

- Lucifer manda en los tres primeros, que se llaman Bael, Agarea y Marbas.
- Sanatachia, sobre Pruslas, Arimon y Barbatos.
- Agaliaroth sobre Buer, Gusatan y Botis.
- Fleuretty sobre Buthin, Pursan y Abigar.
- Sargatanas, brigadier, tiene la potencia de haceros invisible.
- Nobiros sobre Aypcros, Nurébus y Glassyabolas.

Y aunque hay todavía millones de espíritus, que están subordinados a los precedentes, es inútil nombrarlos, porque no se sirve de ellos sino cuando place a los espíritus superiores hacerlos trabajar en su lugar, pues los tienen como servidores o esclavos.

He aquí precisamente las potencias, ciencias, artes y talentos de los seis espíritus superiores ya indicados, a fin de que la persona que quiera hacer un pacto, puede encontrar en cada uno de los seis espíritus superiores, aquello que necesite.

El primero es el gran Lucífugo Rofocale, primer ministro infernal; tiene la potencia que Lucifer le ha dado sobre todas las riquezas y sobre todos los tesoros del mundo.

Tiene bajo su dependencia a Bael, Agares y Marbas, y muchos más millares de demonios o de espíritus, que le están subordinados.

El segundo es Satanachia, gran general; tiene la potencia de someter a él a todas las mujeres, y hacer con ellas lo que desea. Manda una gran legión de espíritus, y tiene por bajo a Pruslas, Arimon y Barbatos.

Agalarieth, también general; tiene la potencia de descubrir los secretos más ocultos, revela también los más grandes misterios; manda la segunda legión de los espiritus

A sus órdenes se hallan Bauer, Guatan y Botis.

Fleuretty, general; tiene la potencia de hacer la obra que se desea durante la noche; hace también caer el granizo donde se quiere. Manda un cuerpo muy considerable de espíritus. Están bajo sus órdenes Bathin, Pursan y Abigar

Sargatanas, brigadier, tiene la potencia de haceros invisibles: de haceros ver todo lo que pasa en las cosas, las cerraduras, de haceros ver todo lo que pasa en las casas, de enseñaros todas las astucias humanas, manda muchas brigadas de espíritus.

Nebiros, mariscal de campo e inspector general, tiene el poder de dar el mal a quien se quiere; enseña todas las cualidades de los metales, de los minerales, de los vegetales y de los animales puros e impuros; posee el arte de adivinar el porvenir, siendo uno de los principales nigrománticos de los espíritus infernales. Va por todas partes teniendo la alta inspección de todas las milicias del averno.

Tiene a sus órdenes a Ayperos, Nurebus y Glasyabolas.

La siguiente tabla comprende la figura y firma de los principales espíritus infernales.

FIGURA Y FIRMA DE LOS PRINCIPALES ESPÍRITUS INFERNALES

Ilustración original

CAPITULO VIII

EN QUE SE TRATA DE LAS INVOCACIONES

El nombre secreto que en la industria humana no consigue encontrarse sin una revelación, reside en un ser oculto y a los espíritus les es permitido revelarlo.

Los secretos se refieren a cosas distintas y a naturales o humanas.

Es preciso antes de hacer una invocación, tener bien definida la naturaleza del secreto que se pretende penetrar; y saber a quién se ha de pedir la revelación. Siete son los secretos más grandes, y que en general, más le conviene al hombre conocer.

El primero es curar todas las enfermedades en el espacio de siete días, bien sea por el único medio de los objetos naturales, bien sea por el concurso y ayuda de los espíritus superiores.

El segundo es el de conservar la vida a voluntad y por tiempo indeterminado, sea cualquiera la edad de la persona.

El tercero consiste en hacerse obedecer de los seres que pueblan los elementos bajo la forma de espíritus purificados, como son los pigmeos, gnomos, etc.

El cuarto estriba en llegar a entenderse con todos los espíritus, sean visibles o invisibles, invocando en cada caso al que pueda dar la revelación que se busca.

El quinto consiste en llegar a penetrarse del fin especial para el que cada uno ha sido creado.

El sexto está en identificarse cuanto antes sea posible con los espíritus superiores, aproximándose así a la mayor perfección humana que es la base de todo bienestar y prosperidad.

El séptimo consiste en lograr la protección de los espíritus superiores, y con ella y por alcanzar los beneficios de la vida sobrenatural bajo la forma más perfecta.

Todos los escritores que tienen fama de serios y han tratado de estas cuestiones, han rehuido toda mezcolanza de lo sagrado y lo profano, evitando con ello desvirtuar el verdadero carácter de las invocaciones, que han de hacerse siempre bajo la fase de los espíritus, utilizando para ello las palabras y ceremonias de la verdadera magia, sin apelar a la fórmula de sectas ajenas al objeto que se persigue.

CAPITULO IX

INVOCACIÓN A LOS GNOMOS PARA QUE SE MUESTREN PROPICIOS

Los gnomos juegan un papel muy importante en todas las invocaciones. Son los espíritus que nos sirven para transmitir nuestras peticiones a aquellos a quienes las dirigimos. Su inteligencia es tal, que puede redundar en perjuicio nuestro, ya sea porque pueda perturbar nuestros reunidos, ya porque de efectuarse la aparición. pudiera sobrecogemos y ocasionar nuestra muerte por el efecto del susto, ya en fin porque no fuéramos bastante discretos para reservarnos de referir la aparición maravillosa o celestial, que habíamos presenciado, y que al mencionar el suceso, pudiera dar pábulo a que se nos conceptuase por locos, ignorantes o endemoniados, lo cual seguramente nos haría perder la estimación de muchas personas que formarían un concepto perjudicial que nos acarrearía un sinnúmero de disgustos, ya por otras causas ocultas a nuestra penetración, es el caso que a veces no se muestran propicios a secundarnos en nuestra empresa, dificultando así en absoluto el que veamos logrado nuestro deseo.

Para conseguir que su influencia benéfica se muestre hacia nosotros de un modo positivo, es muy conveniente antes de hacer la invocación a los espíritus, cuya aparición o ayuda solicitemos, dirigirnos a los gnomos en demanda de auxilio, recitando de todo corazón la siguiente oración:

"A vosotros acudo ¡oh, genios admirables e incomprensibles! con fe ciego y corazón humilde, me entrego a merced vuestra, esperando que así como dirigís nuestros pasos y acciones desde el momento en que aparecemos en este planeta hasta aquel en que, terminada nuestra misión, recogéis nuestro espíritu para acompañarlo por los mundos siderales, al lugar que el Supremo Creador nos tiene reservado en sus inescrutables designios, de igual modo que prestéis vuestra ayuda, transmitiendo fielmente las peticiones que quiero hacer a los espíritus celestes (o infernales), sin variar el concepto de mis palabras o intenciones. Observar bien la pureza de mis sentimientos; mi gran deseo y confianza, mi discreción y reserva; apreciad todas las cualidades que poseo y no reparéis en aquellos defectos que todavía no haya desechado, ni los hagáis causa para no prestarme vuestra cooperación, trabajad constantemente en perfeccionarme de toda impureza. hacerme digno de los dones que la Divinidad concede a sus elegidos, y agradecer con toda el alma y durante el tiempo de mi peregrinación por este planeta, el favor que de vosotros reciba. Amén".

CAPITULO X

INVOCACIÓN A LOS ESPÍRITUS CELESTES SUPERIORES

PLEGARIA

"Sea por siempre ensalzado el Santo nombre del Supremo Creador, a quien humildemente reverencio en esta solemne hora A ti excelso Adonay dirijo, mis más fervientes preces suplicándote me seas propicio, y concedas el honor de enviarme uno de tus más humildes mensajeros, para que pueda, por su mediación, lograr lo que con grande acatamiento y veneración me propongo pedirte. No mires en mí un soberbio ni un escéptico que se atreva por orgullo a molestarte. Mira, en mí, ¡oh, poderoso Adonay!, el más pequeño de los seres que en la creación viven y moran, postrado humildemente ante la Divina Majestad de su Dios y Creador, a quien suplica con verdadero y gran deseo, poder conocer por mediación de sus espirituales mensajeros, un destello de su gloria inmaculada.

Lleguen también mis súplicas a todos los espíritus celestes superiores, para que ellos intercedan por mí ante el glorioso trono del Altísimo, Soberano Hacedor de todo lo creado a fin de que se digne por la poderosa intercesión de los ángeles de luz, Eloim y Jehovam acceder a este mi humilde ruego."

"He procurado hacerme lo más perfecto posible en la pobre y nunca satisfecha condición humana, a fin de que me juzguéis digno de poder contemplar vuestra

gloriosa excelsitud. Perdonadme los defectos que todavía no haya desechado y no los hagáis causa de vuestro enojo y severidad. "

"Vuelvo a invocaros a todos nuevamente, y en general a los poderosos Adonay, Eloim y Jehovam para que se vea satisfecho mi deseo en esta hora, siendo testigos los astros que ejercen su poderoso influjo sobre el estrellado firmamento. "

"Venga vuestra radiante luz en forma del glorioso mensajero, y reciba por su mediación los dones de sabiduría, del honor y de la gloria, hasta que, purificado de todas las impurezas de la carne inherentes a las flaquezas de la humana y siempre defectuosa naturaleza, pueda contemplaros en toda vuestra Soberana Majestad y gloria. Sea bien acogida esta mi humilde súplica, y eternamente os tributará adoración y homenaje mi corazón sincero y agradecido".

Ésta invocación o plegaria deberá repetirse cuatro veces, durante cuatro noches elevando el alma a Dios y la vista al firmamento estrellado.

La última noche, y al terminar la última invocación, se percibirá una música muy dulce y melodiosa acompañada de coros celestiales. Se notará una claridad diáfana que irá aumentando progresivamente, subiendo poco después la visión celeste en forma de un ángel de luz, de belleza incomparable, rodeado de infinitos espíritus celestiales que le acompañarán incesantemente, formando verdadera guardia de honor, con voz dulcísima y sonora os dirá estas o parecidas palabras:

Yo soy el enviado como mensajero de la Divina Majestad. Tus ruegos han sido entendidos, más para lograr sus mercedes, es preciso ser digno de ellas. No olvides, mísero mortal, que la Divinidad sólo concede aquellos dones que su infinita sabiduría juzga conveniente, según el grado de perfección de los seres que a su infinita bondad acuden en humilde ruego. Sigue el camino de la absoluta perfección, con lo cual lograrás todos aquellos beneficios a que vayas siendo acreedor. Si así lo haces, me tendrás siempre a tu lado en forma invisible para ti. pero sirviéndote de ángel tutelar en tu tránsito por el planeta donde vives y moras por la permisión de Dios. Y ahora me separo momentáneamente para regresar de nuevo al punto donde debo permanecer en espera de las órdenes que se dignen transmitirme.

Al momento se desvanecerá la visión, quedando únicamente una ráfaga Inminosa que desaparecerá poco a poco.

A los ángeles de Luz no hay necesidad de hacerles petición ninguna de palabra, puesto que Dios y los espíritus superiores van concediéndonos aquellos dones a que nos hacemos acreedores y conocen perfectamente nuestros pensamientos deseos y acciones.

Cuando haya desaparecido la visión celeste, se recitará con gran fervor la oración siguiente, en acción de gracias por el favor recibido:

"¡Oh, Dios eterno e infinito! Yo. el más mísero de los mortales, he sido favorecido con la visita de vuestro celestial mensajero ¿Cómo podría yo, mi Dios y Creador, expresar con palabras cuan agradecido quedo a la bondad con que os habéis dignado favorecerme. Mi alma embargada de gozo y agradecimiento no halla palabras para expresar cuánto amor y veneración os profesa Recibid. Señor, todo cuanto soy y valgo, y al afecto más sinceró de mi alma, corazón y sentidos, hasta que, despojado de esta humana envoltura, pase a formar parte de los seres que en eterna armonía entonan cántico? celestiales en honor de vuestra admirable excelsitud y gloria. Amén" ...

CAPITULO XI
EL SANCTUM REGNUM

Verdadero modo de hacer pactos con los espíritus infernales, sin sufrir ningún daño

El verdadero "Sanctum Regnum" de la gran Clavícula de Salomón, tiene una importancia suma, ya para adquirir tesoros, ya para obtener la posesión de la mujer deseada, ya para descubrir los secretos más ocultos, ya para volverse invisible, ya para hacerse trasladar al punto que se desea, ya para abrir todas las cerraduras, ya, en fin, para realizar toda clase de maravillas.

Cuando queráis contraer un pacto con uno de los principales espíritus, comenzaréis la antevíspera del pacto, por ir a cortar, con un cuchillo nuevo que no haya servido nunca una vara de nogal silvestre, exactamente en el momento en que el sol aparece en el horizonte; hecho esto, os proveeréis de una piedra imán[vii] , dos cirios benditos, dos talismanes y escogeréis en seguida un lugar para la ejecución, donde nadie os pueda incomodar; puede también hacerse el pacto, en una habitación preparada al efecto[viii], o en algún aposento de un castillo ruinoso, aunque lo más seguro se ha considerado siempre la cima de una montaña o el cruce de un camino que sea formada por cuatro sendas distintas y próximas a un río.

Escogido que sea el sitio para la invocación se hará lo siguiente:

Se tenderá en el suelo una piel de cabrita virgen, que haya sido sacrificada en día viernes, se trazará sobre la piel con la piedra imán concéntricos, el triángulo sobre el cual se forma la ruta de T. llamada generalmente del tesoro, pero que en realidad deberá considerarse bajo las acepciones siguientes: Ruta de la eternidad, del infinito, del espacio, de lo desconocido, del tiempo de lo oculto, de lo misterioso, etc.

Con objeto de que puedan trazarse con acierto sobre los dibujos del gran círculo cabalístico, o de los pactos, exponemos éste a continuación.

Los talismanes se colocarán debajo de los calendarios que sostienen los cirios benditos, poniendo a los lados tres coronas de verbena, albahaca o flor de saúco, cogida en la noche de San Juan. Es igual que sea de una sola de dichas plantas o de las tres distintamente.

Los signos J. H. S. y las cruces que van al pie. sirven para que ningún espíritu pueda hacer daño al ser invocado, mas si el que hace la invocación es muy osado o temerario, puede suprimirlos.

Cuando todo se halle ya ejecutado se pondrá delante del triángulo una cazoleta de metal con algunos carbones encendidos, donde se echarán perfumes odoríferos de polvos de incienso y laurel.

Véase en el modelo el triángulo y gran círculo cabalístico de los pactos, la colocación que debe llevar cada objeto.

Estando todo bien preparado, y en la hora de las doce de la noche, os colocaréis en medio del triángulo, teniendo en la mano derecha la vara misteriosa con la gran apelación al espíritu, y a la izquierda la llave, o clavícula de Salomón, la petición que hayáis de hacer, así como igualmente el pacto y la despedida al espíritu, todo lo cual se tendrá escrito de antemano.

Habiendo ejecutado exactamente lo que antes se ha detallado, comenzaréis a recitar la apelación o invocación siguiente, con esperanza y fervor.

GRANDE INVOCACIÓN A LOS ESPÍRITUS CON QUIENES SE DESEA HACER PACTO. SACADA DE LA GRAN CLAVICULA DE SALOMÓN

"Emperador Lucifer, dueño y señor de todos los espíritus rebeldes, te ruego me seas favorable en la apelación que hago a tu gran ministro. Lucífugo Rofocale, pues deseo hacer pacto con él; yo te ruego a ti, príncipe Belzebuth; que me protejas en mi empresa. ¡Oh, conde Astaroth!, sedme propicio y haz que en esta noche, el gran Lucífugo se rae aparezca bajo una forma humana, sin ningún pestífero olor, y que me conceda por medio del pacto que voy a presentarle todas las riquezas o dones que necesito.

¡"Oh, gran Lucífugo! Yo te ruego que dejes tu morada donde quiera que te halles, para venir a hablarme: de

lo contrario, te obligaré por la fuerza del grande y poderoso Alpha y Omega, y de los ángeles de luz. Adonay, Eloim y Jehovara, a que me obedezcas. Obedéceme prontamente, o vas a ser eternamente atormentado por la fuerza de las poderosas palabras de la clavícula de Salomón, de las que se servía para obligar a los espíritus rebeldes a recibir sus pactos; así, pues, aparécete en seguida o voy continuamente a atormentarte por el poder de estas mágicas palabras de la clavícula: Agión. Telegran, Vaycheo, Stimulatón, Ezpares, Retragrammatón, Oyram, Irión, Emanuel, Cabaot, Adonay, te adoro y te invoco".

Estad seguros que apenas hayáis pronunciado estas mágicas palabras se os aparecerá el espíritu y os dirá lo que sigue:

APARICIÓN DEL ESPÍRITU

"Heme aquí. ¿Para qué me quieres?, ¿por qué turbas mi reposo? Respóndeme; yo soy Lucífugo Rofocale a quien has invocado".

A cuya palabra deberá hacerse la demanda al espíritu del modo siguiente:

"Yo te llamo para hacer pacto contigo, a fin de que me concedas todo aquello que deseo, si no, te atormentaré con las poderosas palabras de la gran clavícula de Salomón".

RESPUESTA DEL ESPÍRITU

"Entonces no puedo acceder a tu demanda, sino con la condición de que te entregues a mí por espacio de veinte años, para hacer con tu cuerpo y con tu alma lo que me plazca".

"Lucífugo Rofocale".

Entonces le arrojarás el pacto, que debe estar escrito por vuestra propia mano, con tinta de los pactos, y sobre un pequeño trozo de pergamino virgen, el cual pacto consiste en estas palabras, bajo las cuales pondréis vuestra firma, trazada con vuestra propia sangre:

EL PACTO

"Yo prometo al gran Lucífugo recompensarle durante veinte años de todos los tesoros que me conceda. En fe de lo cual, lo firmo.

N. N"

A estas palabras contestará el espíritu con las siguientes: "No puedo acceder a tu demanda". Y desaparecerá acto seguido.

Entonces para forzar al espíritu a obedeceros, volverás a leer la gran apelación con las terribles palabras de la clavícula, hasta que el espíritu reaparezca y os diga:

SEGUNDA APARICIÓN DEL ESPÍRITU

"¿Por qué sigues atormentándome? Si me dejas en paz yo te daré el tesoro más inmediato, y te concederé lo que desees, con lacondición que me consagrarás unas monedas todos los primeros lunes de cada mes, y no me llamarás un día de cada semana a saber: desde las diez de la noche hasta las dos de la madrugada. Recoge tu pacto ya lo he firmado; si no cumples tu palabra serás mío dentro de veinte años.

"Lucífugo Rofocale".

RESPUESTA AL ESPÍRITU

"Accedo a tu demanda, con la condición de que harás aparecer ante mí, el tesoro más próximo, para que pueda llevármelo inmediatamente".

RESPUESTA DEL ESPÍRITU

"Sigúeme, y toma el tesoro que te voy a mostrar".

Entonces seguiréis al espíritu por el camino del tesoro que está indicado en el triángulo de los pactos sin espantaros, y arrojaréis vuestro pacto, ya firmado, sobre el tesoro, tocándole con vuestra vara mágica tomaréis el dinero que queráis, y os volveréis al triángulo sin volver la cara, colocaréis el dinero recogido, a vuestros pies y comenzaréis en seguida a leer la despedida al espíritu, tal como aquí se especifica.

CONJURO Y DESPEDIDA AL ESPÍRITU CON QUIEN SE HA HECHO EL PACTO

"¡Oh, gran Lucífugo! Estoy contento de ti por ahora: te dejo en paz, y te permito retirarte a donde te parezca, sin hacer ningún ruido ni dejar ningún mal olor. No olvides a lo que te has comprometido en mi pacto; pues si faltas en lo más mínimo te atormentaré eternamente con las grandes y poderosas palabras de la clavícula del gran rey Salomón, con las que se obliga a obedecer a todos los espíritus rebeldes".

Antes de salir del círculo cabalístico, se dirá la siguiente

ORACIÓN AL TODOPODEROSO EN ACCIÓN DE GRACIAS

"Oh, Dios Todopoderoso! Padre celeste que has creado todas las cosas en servicio y utilidad del hombre, te doy las más humildes y reverentes acciones de gracias, porque por tu gran bondad, has permitido que sin riesgo, pudiera yo haber hecho pacto con uno de tus espíritus rebeldes, sometiéndole a darme todo lo que me fuere necesario.

Yo os agradezco ¡oh. Dios Todopoderoso!, el bien con que me has colmado esta noche, designándote concederme, a mí, insignificante criatura, tus preciosos favores. Ahora ¡oh, gran Dios! es cuando he conocido la fuerza y todo el poder de tus grandes promesas cuando dijiste: "Buscad y encontraréis, llamad y os abrirán". Y cuando tus has ordenado y recomendado socorrer al pobre, dignate inspirarme verdaderos sentimientos de caridad, y haz que yo pueda emplear, en una obra santa, gran parte de los bienes con que tu gran divinidad ha querido colmarme, haz ¡oh, poderoso Dios! que yo goce con tranquilidad de estas riquezas de que soy poseedor, y no permitas que ningún espíritu rebelde me perjudique en que sea yo dueño. Inspírame también, ¡oh, gran Dios! los sentimientos necesarios para poder desprenderme de las garras del demonio y de todos los espíritus malignos. Yo me pongo. Soberano Señor, Padre, Hijo y Espíritu Santo, en vuestra santa protección. Amén."

Dicha la anterior oración con verdadera fe y amor de Dios y deseo de obrar siempre bien, puedes, sin cuidado ninguno, retirarte de aquellos lugares, en la seguridad de que los malos espíritus no se acercarán a molestarte.

En el caso de que por olvido o por azoramiento dejaras de recitar la anterior oración, te hallarás expuesto a que al salir del círculo fueras atormentado por algunos espíritus malignos, lo que hacen siempre con gritos, aullidos, pellizcos y otros excesos. Sus voces resultan una música muy desagradable, tanto porque no se ve quiénes son los que gritan, cuanto porque no tienen nada de humanos.

Para ahuyentarlos bastará presentar el talismán dominatour, y decir: "*vade, retro espíritus inmundos*" y haced la señal de la cruz con los dedos pulgar e índice de la mano derecha.

CAPITULO XII

CONJURACIÓN Y PACTO CON LUCIFER PARA PEDIRLE CUANTO SE DESEE

Hechos todos los preparativos indicados en la invocación anterior, suprimiendo los cirios, cruces y signos J. H. S. en absoluto y careciendo de todo temor, se dirá:

Al grande y poderoso Lucifer, Luzbel y Satanás.

¡Oh, gran Lucifer, emperador excelso de los antros infernales! yo me postro ante ti y te reconozco como señor y soberano, si me pones en posesión de las artes ocultas de la magia, dándome el don de conocer la ciencia misteriosa y sobrenatural que tú posees, para lograr, por su medio, la verdadera sabiduría. Sea yo admitido entre tus escogidos; véanse satisfechas mis aspiraciones de riquezas; el logro de la persona deseada; la destrucción y daño de mis enemigos. Deseo ser tu esclavo y para ello puedes, desde hoy, disponer de mi cuerpo y de mi alma.

Si aceptas mi pacto, que traigo escrito con tinta misteriosa y firmado con mi sangre preséntate ante mí para reconocerte como señor y soberano.

Yo te invoco una vez más. ¡oh, esclarecido príncipe de tinieblas! para que aparezcas a mi lado en forma humana y me firmes el pacto que presento.

No tengo ningún temor y sí gran deseo de que me concedas lo que pido. Juro seguir tu ley en adelante, renegar de Dios a quien aborrezco, del agua del bautismo que sin mi consentimiento he recibido, y de todo aquello que no sea de tu agrado.

Quiero pertenecerte y formar compañía con los espíritus de tentación y daño, mas para eso, es preciso que mi pacto sea aceptado, firmado y confirmado.

Yo te conjuro. Lucifer, Luzbel y Satanás, por el poder de este mágico talismán que es imagen del que usaba el gran Salomón y por cuya mediación logró el dominio de la sabiduría, de las "Ciencias Mágicas", y de todo lo creado, para que aparezcas ante mí.

Aparece ya prontamente o. de lo contrario te haré permanecer eternamente en los profundos infiernos por las poderosas palabras cabalísticas de Salomón "Abracadabra Eloim", cuyo poder sólo él y tú conocíais. Preséntate a mí. yo lo quiero.

Al pronunciar estas palabras, si se dicen sin temor aparecerá Lucifer, diciendo: —¿Qué me quieres, hombre vil? ¿Qué es lo que pides? ¿Cuál es tu pacto?

— Quiero, dirás, que me des riquezas, poder, sabiduría, conocimiento de la ciencia secreta, dominio absoluto de las personas, don de ser invisible, de andar sobre el agua, y todo cuanto se contiene en el pacto que presento, hecho según las reglas del arte y firmado con mi sangre.

Entonces le entregarás el pacto.

— ¡Oh, mortal temerario —contestará con voz cavernosa—, si me entregas tu alma, accederé a tu pacto.

—Yo te prometo mi alma para el día que muera, pero si no cumples lo que en el pacto pido, quedaré Ubre de volver a implorar la divina misericordia.

Desde este momento y mediante que Lucifer no falte a su promesa, quedarás a su disposición para siempre.

Se ha de advertir que suele suceder que Satanás se presente en forma de persona o animal desconocido y aun puede ocurrir que lo haga en forma de un tronco con las ramas cortadas.

Por terrible e imponente que sea la aparición no deberás demostrar el menor miedo, pues teniendo en la mano el talismán "dominatour" no podrá hacerte daño alguno. También ocurre algunas veces que se aparece en forma de dragón echando llamas por la boca y ojos y lanzando aullidos espantosos.

Se hacen estas advertencias para que no se demuestre sorpresa ni temor para nada.

CAPITULO XIII

QUE TRATA DE LOS EXORCISMOS Y DEL MODO DE CONOCER SI UNA PERSONA PADECE DE HECHIZOS O ENFERMEDAD NATURAL

Los exorcismos sirven para expulsar a los espíritus cuando se hallan posesionados de alguna persona, a la cual hacen padecer horriblemente con sus tentaciones y tormentos. A veces le sugieren pensamientos extraños y palabras repugnantes, y aun le obligan a lanzar blasfemias y gritos furiosos.

Es conveniente saber antes de proceder a la curación, si la enfermedad es ocasionada por hechizos o si es natural, pues a veces ocurre que una enfermedad desconocida para los médicos, se atribuye a causas sobrenaturales. Cuando esto sucede puede salirse de dudas ejecutando lo siguiente:

Se procurará que una persona provista de un talismán exterminador coloque su mano derecha sobre la cabeza del enfermo, diciendo con fe y voluntad:

"Yo te ruego y ordeno, espíritu desconocido en nombre del Ser Supremo y del admirable Adonay, me declares el motivo de hallarte atormentado en este cuerpo que cubro con mi mano. También deseo me digas qué es lo que pretendes al hacerlo así. Yo te ofrezco si me obedeces, rogar a Dios por ti para que sea purificado y transportado a donde moran los ángeles celestiales".

El objeto de esta oración es saber si el espíritu anda errante por el mundo en demanda de caridad y de oraciones, pues en el momento que le digan: *"Yo te ofrezco, si me obedeces rogar a Dios por ti"*, etc., el doliente queda sosegado y tranquilo; mas si esto sucede, se arrodillarán todos los circunstantes y elevando el alma a Dios recitarán de nuevo la indicada oración.

Se ha de advertir que lo mismo pueden hallarse aposentados en nuestro cuerpo los espíritus buenos no perfectos, que los malos o de daño y por lo tanto, cuando el enfermo se halle tranquilo por la virtud de la oración precedente, se ha de suponer que quedará libre mediante los ruegos que todos los días se dirijan al Altísimo en demanda del perdón y purificación del espíritu, el cual en agradecimiento, dejará de molestarle; mas si es espíritu fuera del mal o de daño se conocerá en que, al oír la oración, causará más tormentos y molestias al enfermo. En este caso se tratará de expulsarle acudiendo a los exorcismos.

Si el enfermo no percibe modificación ninguna, es prueba de que su enfermedad es puramente natural.

PRECEPTO O EXCONIURACION A LOS DEMONIOS PARA QUE NO MORTIFIQUEN AL ENFERMO DURANTE EL TIEMPO QUE DUREN LOS EXCORCISMOS

"Yo, como criatura de Dios, hecho a su semejanza y redimido con su sangre, os obligo por este precepto, demonio o demonios, para que cese vuestro delirio y dejéis de atormentar con vuestras lujurias infernales, este cuerpo que os sirve de aposento. Segunda vez os cito y notifico en el nombre del Soberano Señor, fuerte y poderoso, que dejéis ya este lugar y salgáis fuera de él no volviendo jamás a ocuparlo. El Señor sea con todos nosotros, presentes y ausentes, para que tú, demonio,

no puedas jamás atormentar las criaturas del Señor. Huye, huye, o de lo contrario serás amarrado con las cadenas del Arcángel Miguel y humillado con la oración de San Cipriano dedicada a deshacer toda clase de hechicerías".

En seguida se dirá la siguiente

ORACIÓN A SAN CIPRIANO

"Como siervo de Dios y criatura suya, desligo del espíritu maligno cuando éste tiene ligado. En el nombre del Divino Creador a quien amo desde que lo conozco, con todo mi corazón, alma y sentidos, y a quien prometo adorar eternamente, y agradecer también los beneficios que cual padre amoroso me concede sin tasa ni medida, yo te ordeno, espíritu del mal, que te separes en el acto de este cuerpo que estás atormentando y le dejes libre de tu presencia para que pueda recibir dignamente las aspersiones del agua exorcizada que, cual lluvia, echo sobre él, diciendo:

"En el nombre del Padre, del Hijo y del Espíritu Santo (se hace así), que viven y reinan eternamente; por las virtudes que poseen los espíritus superiores, Adonay. Eloim y Jehovan, cuya presencia y fortaleza invoco en este acto. Amén. "

Todas estas invocaciones deben ser hechas con gran fe y amor de Dios, y es seguro que Satanás, no aguardará al final del exorcismo que va a continuación, para dejar libre al enfermo o poseído.

EXORCISMO PARA LIBRAR A LAS PERSONAS DE LOS MALOS ESPÍRITUS

"En el nombre de San Cipriano y de parte de Dios tres veces santo, por la potestad de los espíritus superiores Adonay, Eloim y Jehovan y Mitraton, yo N., (1), absuelvo el cuerpo de N. para que sea libertado de todos los malos hechizos, encantos y sortilegios, ya sean producidos por hombres o mujeres, ya por cualquiera otra causa. Dios sea alabado y glorificado y se digne disponer que todos los sortilegios queden desechos, destruidos, desligados y reducidos a nada, para lograr de este modo que el cuerpo de N. quede libre de todos los males que padece.

¡Dios grande y poderoso! sea tu nombre glorificado y que por vuestra soberana intercesión sean obligados a retirarse los espíritus que se hayan aposentado en el cuerpo de N. cesando ya el sortilegio que los causadores de este daño han empleado. Yo os conjuro y mando desaparecer sin que jamás podáis entrar a este cuerpo en el cual hago tres cruces (2) y le bendigo con el agua exorcizada en el nombre del Padre, del Hijo y del Espíritu Santo, que amparen y protejan a N. para que jamás se vea atormentado. "

Al decir estas palabras se le rociará con agua bendita.

Es conveniente saber que el que ejecuta el exorcismo ha de estar colocado a la derecha del enfermo, y que las cruces, se han de hacer precisamente de izquierda a derecha.

(1) Aquí dirá su nombre el que opera.

(2) Se hará con el dedo pulgar de la mano derecha, una cruz en la frente; otra en el pecho y otra en el vientre del enfermo.

EXORCISMO PARA LIBRAR LA CASA DE ESPÍRITUS TENTADORES

Os conjuro, espíritu rebelde, habitante y arruinador de esta casa, que sin demora ni pretexto desaparezcáis de aquí haciendo disolver cualquier maleficio que hayáis echado vos o alguno de vuestros ayudantes: por mi lo disuelvo contando con la ayuda de Dios y de los espíritus de luz. Adonay, Eloim y Jehovan, quiero además, atarte con el precepto formal de obediencia, para que no puedas permanecer, ni volver, ni enviar a otro, ni perturbar esta casa, bajo la pena de cue seas quenado eternamente con el fuego de pez y azufre derretidos.

Se bendecirá toda la casa con agua exorcizada y se harán cruces por todas las paredes con el cuchillo de mango blanco, diciendo:

"Yo te exorcizo, criatura-casa para que seas libre de los espíritus tentadores que te han hecho su morada".

Es bueno saber que cuando los espíritus malignos se muestran en las casas haciendo ruidos y dando golpes sin atacar a las personas, es porque no tienen dominio sobre ellas, bien porque en sus manos lleven la marca de la cruz de San Bartolomé o bien porque el hechizo sólo les permita molestar sin tocar a las personas

EXORCISMOS CONTRA LOS PEDRISCOS Y HURACANES

Tanto la conjuración como las cruces se han de repetir cuatro veces en la dirección de los cuatro puntos cardinales.

"Yo os conjuro, nubes, huracanes, granizadas, pedriscos y tormentas, en el nombre del gran Dios viviente de Eloim, Jehovan y Mitraton, a que os disolváis como la sal en el agua sin causar daño ni estrago ninguno".

Dicho esto, se tomará el cuchillo de mango blanco y se harán con él cuatro cruces en el aire como si se cortara de arriba abajo y de izquierda a derecha.

SEGUNDA PARTE

EL DRAGÓN ROJO Y LA CABRA INFERNAL

Ilustración original de la edición latinoamericana

CAPITULO I
EL DRAGÓN ROJO DE MOISÉS Y SALOMÓN

Ilustración original

Moisés era el jefe de los hebreos que en tiempos de Pararon residían en Egipto. Obligado a redimir a su pueblo, tuvo que poner en juego una serie de portentosos prodigios y, por último, el paso del Mar Rojo, lo que efectuó separando las aguas. Cuando ya se hallaban a salvo todos los israelitas, volvió el mar a su estado normal, quedando sumergidos el Faraón y sus tropas, que iban en su persecución.

El sabio Moisés poseía la ciencia de la verdadera magia de los egipcios, y de ella se valió para convertir en serpiente una vara de madera; predijo también las plagas de Egipto y otros muchos sucesos extraordinarios. El paso del Mar Rojo fue un hecho tan maravillo.so, que todavía hay quien lo pone en duda. Sin embargo, no hay más remedio que rendirse a la evidencia, pues de no pasar el Mar Rojo, los hebreos no hubieran podido ir a establecerse a Judea.

Lo que se ignora, y por esto queremos darlo a conocer, es la siguiente historia tomada del tratado de verdadera magia que venimos traduciendo.

Residía Moisés en Egipto, salvado de las aguas del Nilo de un modo milagroso por la hija del Rey. Su talento natural le hizo dominar pronto todas las ciencias de los egipcios; cuando ya podía dar lecciones a todos, entró en deseos de conocer las ciencias mágicas, y para conseguirlo se hizo discípulo del sumo sacerdote. Anacharsis, que era a la sazón el más sabio de todos los magos.

Moisés era conocido por el hijo de las aguas. El sacerdote mago, viendo su gran disposición para el estudio de la verdadera ciencia, le enseñó cuanto sabía con mucho cariño, lo cual, aprovechado por Moisés, se halló bien pronto en disposición de dar lecciones a su mismo maestro.

Este poseía entre sus talismanes y amuletos un pequeño dragón rojo, objeto raro de metal tallado y al cual tenía en mucha estima, Moisés, al ser iniciado en los secretos de la magia, lo fue también en todo lo relativo a talismanes y amuletos, pudiendo examinar a su antojo el pequeño museo de su anciano profesor. Nada empero le llamaba tanto la atención como el pequeño "dragón rojo", y proponiéndose saber las virtudes de tan raro objeto, instó al mago para que se lo indicara. Este no se hizo de rogar, porque realmente deseaba poner a su discípulo al tanto del misterio que aquel "dragón' encerraba, lo cual efectuó del modo siguiente:

—Mi querido Moisés '—le dijo — ; este "dragón" que tanto atrae tus miradas es el símbolo de tu misma persona.

Moisés prorrumpió en una exclamación de asombro a estas palabras, y le manifestó que no comprendía la relación que pudiera existir entre aquel talismán y él.

—Es muy sencilla y precisamente "este dragón" que, como tú, es hijo de las aguas, me ha servido para atraer tus pasos al templo de la verdadera sabiduría. Sí, Moisés —repitió — , tú no creerías que un objeto como este influiría sobre ti desde el momento que fuiste arrojado al Nilo, hasta la hora presente, y asimismo hasta el resto de tu vida.

Admirado sobremanera quedó Moisés con lo que oía y eso que no creía hubiera nada en el mundo capaz de causarle admiración. Quiso conocer la relación que guardaba con él el pequeño "dragón" y cómo había legado éste poder del anciano.

— Has de saber – le dijo — que en el momento en que tú fuiste lanzado al río por tu misma madre, cumpliendo el mandato del Faraón de matar a los niños primogénitos de los judíos, este pequeño "dragón" te tomó bajo su protección, haciendo que el cestillo donde fuiste arrojado al Nilo sobrenadara en las aguas.

Además, influyó en el ánimo de Thermutis, la hija del rey para que en aquella hora se dirigiera al río y entrara en deseo de ver lo que contenía el cestillo de mimbres que iba navegando sobre el agua, y el fue, finalmente, el que la impulsó a que te recogiera y te hiciera criar, dándome a mí, a la vez, señales ciertas de todo lo que en tu obsequio había hecho.

Ahora y después de lo que ya conoces, no extrañarás la grande influencia que este pequeño "dragón" ha ejercido sobre tu persona; él fue también el que te sugirió el deseo de venir a mi casa para aprender las ciencias mágicas, y él, finalmente te dará poder para aprender las ciencias mágicas para que, por su virtud, veas logrado algún día todo cuanto se te antoje, por extraordinario y maravilloso que sea. o ya soy bastante anciano — continuó — , y pienso que por tu bondad y sabiduría te has hecho digno de todo mi cariño, quiero entregarte este precioso talismán que te proporcionará un absoluto dominio sobre los espíritus y los elementos todos del universo. Con él no habrá para ti nada imposible, puesto que todo se doblegará a tu mandato.

Lo que si te encargo sobremanera, es que todos los días al salir el sol digas las palabras siguientes: *"Jobsa, Jalma, Afia"* : que es la invocación al espíritu superior. que todo lo preside y al cual deberás rendir adoración. Dichas estas palabras, darás al dragón" un gramo de alcanfor puro y sin mezcla, que sea del tamaño de un grano de trigo.

Moisés dio al anciano Anacharsis grandes muestras de agradecimiento, y tomando su pequeño "Dragón", se despidió del anciano prometiéndole que todo su empeño en adelante sería cumplir fielmente sus consejos y enseñanzas y dedicar todo su poder a procurar la libertad de los israelitas que. a la sazón, eran esclavos de los egipcios, lo cual consiguió después de muchos y maravillosos sucesos.

CAPITULO II

ADIVINACIÓN POR MEDIO DE LOS CUERPOS CELESTES O ASTROLOGÍA

Muchos de los pueblos de la antigüedad, como los caldeos y los egipcios, practicaron la ciencia de la Astrología. que consiste en el examen de los cuerpos celestes. De aquellos pueblos pasó a los griegos, y de éstos a los países itálicos, de donde vino hasta nosotros. Pero donde se ha practicado y conservado con mayor veneración ha sido en la Arabia.

La astrología consiste en la influencia de los astros sobre los cuerpos humanos. Esto es lo que la distingue de la astronomía.

Según Herodoto, famoso historiador de la antigüedad griega, fueron los pueblos de Oriente los que empezaron a relacionar el nacimiento de una persona con determinado día o determinado planeta, para sacar de esto un horóscopo, por medio del cual se predecía al sujeto recién nacido su fortuna, su destino y los sucesos de la vida, en virtud de qué accidente abandonaría este mundo adonde acababa de llegar.

He aquí la opinión de los antiguos sobre los planetas con relación a los horóscopos.

EL SOL. — Prodigio de generosidad y bienestar, cuyos rayos prodigan la felicidad, los beneficios en los negocios, la ganancia, el éxito y las herencias.

LA LUNA. — Preside a los sueños; su dominio se refiere a las ganancias ilícitas.

MARTE.— Tiene gran influencia sobre los combates, las disputas y las prisiones.

MERCURIO.— Dios de los comerciantes y de los ladrones, domina en las enfermedades, y tiene influencia sobre las pérdidas pecuniarias.

JÚPITER.— Prodiga todas las riquezas y las bellas acciones, da el honor y todas las grandezas terrestres.

VENUS.— Anuncia frialdad y tristeza, y domina en las ciencias y en los monumentos.

Todos los planetas están dotados de buenas y de malas influencias.

Los astrólogos dividían el ciclo en doce partes, a las cuales daban el nombre de signos del Zodíaco o casas de los planetas.

1º. ARIES O EL CARNERO.— Ángulo oriental que representa la casa de la vida.

2º. TAURO O EL TORO. — Puerta inferior que representa las riquezas, herencia, fortuna y grandes esperanzas.

3º. GEMINIS. — Es la casa de los hermanos y el presagio de las sucesiones.

4º. CÁNCER.— Es la casa de los tesoros y de los bienes por sucesión, el ángulo de la tierra y el fondo del cielo.

5º. LEO.^ — Es la casa de las disposiciones por testamento, legados, donaciones, y además, la morada de los niños.

6º. VIRGO.— Casa de los reveses, contrariedades., enfermedades y penas.

7º. LIBRA.— Ángulo occidental o casa de las bodas. 8o.

8º. ESCORPIÓN.— Indicio de temores y de terror, aprensión de la muerte; es la puerta superior.

9º. SAGITARIO.— Se le llama "el amor del Sol". Esta casa se relaciona a la moral, la religión, los viajes y conocimientos exactos.

10º. CAPRICORNIO.— El centro del cielo. Caja de loa cargos, grandezas terrestres y coronas.

11º. ACUARIO.— Casa de los beneficios, de los amigos y de la fortuna. Es el amor de Júpiter.

12º. PISCIS.— El amor de Saturno. Es la casa de los envenenamientos, de los males, de la envidia, del fin trágico.

El Camero y el Escorpión son las casas queridas de Marte; el Toro y la Libra, las de Venus; Géminis y Virgo, las de Mercurio; Sagitario y Piscis, las de Júpiter; Capricornio y Acuario, las de Saturno; el León la del Sol, Cáncer; la de la Luna.

Los astrólogos daban una atención particularísima, cuando estaban encargados de sacar un horóscopo, a la posición de los astros y de las constelaciones.

He aquí cómo procedían:

Después de haberes asegurado, por medio de un telescopio, de las constelaciones y de los planetas que dominaban en el cielo, el astrólogo reunía sus virtudes especiales, las comparaba entre sí para ver lo que pudiera haber de análogo o de contradictorio en sus virtudes, y sacaba en seguida las consecuencias que resultaban de esta separación. Tres signos análogos o de la misma naturaleza eran considerados como "favorables"; seis, "medianos"; cuatro, "malos".

El instrumento de que se servían ordinariamente para observar los asiros y sacar los horóscopos, se llamaba Astrolabio. Se asemejaba mucho a una esfera armilar. El astrólogo, conocedor del día, la hora, y el momento en que había nacido la persona que le consultaba, ponía los astros en el lugar que ocupaban en aquel instante, y respondía a la consulta, según la posición de los planetas y de las constelaciones.

Morphirus, el astrólogo más célebre de su tiempo, disponía primeramente doce triángulos entre dos cuadrados, después buscaba el estado del cielo en la hora en que había nacido la persona que consultaba, trazaba la figura de cada planeta al lado de la constelación con que se encontraba en conjunción, y luego de la consecuencia natural que sacaba, formaba su profecía, que siempre se realizaba.

Ahora veamos las cualidades de los planetas en las constelaciones zodiacales.

Estas cualidades o propiedades son útiles de conocer para sacar las consecuencias de su proximidad o de sus conjunciones. Helas aquí según cálculos de Indágine.

MARTE, encontrado el día del nacimiento, hace triunfar de los enemigos.

SATURNO, aumenta el trabajo y dispone enfermedades.

VENUS, hace a uno alegre goloso y ágil.

MERCURIO, da la gracia de saber, de la elocuencia, de toda suerte de sutilezas.

EL SOL. procura el renombre, la fuerza y la grandeza.

LA LUNA, hace perezoso, débil de espíritu y de cuerpo.

JÚPITER encontrado el día del nacimiento hace triunfar de los enemigos, da valor, fiereza, y una larga vida. Si se encuentra con el Toro, riquezas y valor. Con Capricornio, honores, dignidades, valor, poder. En una palabra. Marte aumenta la influencia de las constelaciones con quien se encuentra y añade el valor.

SATURNO, da penas, trabajos, enfermedades, miseria, aumenta las malas influencias y corrompe a los hombres.

VENUS, da el amor, la alegría, los placeres, el éxito, aumenta las buenas influencias y debilita las malas.

MERCURIO, da la sabiduría la elocuencia, el éxito en el comercio, aumenta o debilita las influencias, según sus conjunciones. Por ejemplo, si se encuentra con Piscis, que es malo se vuelve menos bueno; si se encuentra con Capricornio, que es favorable, se vuelve mejor.

LA LUNA, hace flojo, cobarde, da la melancolía, la tristeza, la demencia y un natural flemático.

JÚPITER, da la belleza la riqueza y los honores, aumenta las buenas influencias y disipa las malas.

EL SOL. ascendente da favores de los príncipes, y tiene sobre las influencias casi tanto poder como Júpiter.

GEMINIS, LIBRA Y VIRGO, dan la belleza por excelencia.

ESCORPIÓN, CAPRICORNIO y PISCIS, da la belleza mediana.

VIRGO. LIBRA, ACUARIO, GEMINIS, dan una hermosa voz.

CÁNCER, ESCORPIÓN y PISCIS, dan una voz desagradable y nula.

Las otras constelaciones dan la fealdad.

Si los planetas y las constelaciones se encuentran en el Oriente, a la hora del nacimiento, se experimentará su influencia al principio de la vida; si están en medio del cielo, se experimentará en medio de la vida, si están en Occidente al fin de la misma.

CAPITULO III
VISIONES Y APARICIONES

Pocas personas habrá en el mundo que no hayan presenciado u oído referir algún suceso maravilloso acaecido en su familia, pueblo o localidad donde residen. Las apariciones son mucho más frecuentes de lo que algunos creen. Ya es una persona amada que después de muerta se presenta en forma espiritual una o más veces. Ya una persona virtuosa que por permisión divina se deja ver de quienes la invocan o recuerdan en su pensamiento: ya en fin, aquellos que habiendo hecho daño a otra persona, reciben la orden del Espíritu Supremo de aparecerse a sus deudos, a fin de que enmienden los perjuicios por él causados, o bien al mismo a quien los causó, en demanda de perdón.

Estos últimos son los que generalmente se nombran almas en pena, y que imploran el perdón de sus semejantes, para poder descansar tranquilos en la mansión que el Soberano Hacedor les haya señalado.

Aparte de estas apariciones que podríamos llamar personales, hay otras que, aunque más raras, no dejan, de ser por esto tan verdaderas como las anteriores. En muchas tradiciones se refieren a casos de algunos que han sido visitados por vírgenes, santas, damas o señoras con trajes vaporosos y aun por espíritus malignos, los cuales después de aparecerse y hasta dirigirles la palabra, se han desvanecido sin dejar rastro alguno de su presencia.

Las apariciones pueden ser naturales o provocadas. Las naturales son las que como se ha dicho, se producen sin que la persona ponga nada de su parte en el hecho que podríamos llamar psíquico o psicológico, y las provocadas son aquellas que logran producirse por una particular disposición de nuestros sentidos, y más especialmente por las sensaciones de la imaginación que pueden producir en un caso dado el fenómeno de la doble vista.

Para llegar a producir las apariciones se precisa en primer lugar, poner en juego una voluntad poderosa y hacer que la imaginación esté constantemente preocupada en la idea del espíritu que se quiere invocar. La menor distracción haría imposible en absoluto la aparición deseada; en cambio si se logra concentrar bien nuestra imaginación sobre aquella que nos proponemos, no se hará esperar el resultado, puesto que el espíritu será atraído forzosamente por la corriente magnética que se desarrolla entre él y la persona que solicita su aparición.

Puede afirmarse por tanto que las personas de inteligencia clara, grande fe y voluntad poderosa, lograrán verle, cosa que no conseguirán las distraídas u obtusas, por razón de que no podrán concentrar el trabajo mental que se requiere.

Como demostración de esta verdad, podrían citarse infinidad de casos ocurridos a personas que por sus afecciones y sentimientos hacia seres queridos que ya fueron fallecidos, a fuerza de pensar en ellos y llevarlos constantemente en su imaginación han llegado a conseguir que se les apareciera en espíritu, pero en la misma figura que tuvieron cuando vivían entre ellos*

No terminaremos este capítulo sin ocuparnos, aunque ligeramente, de las visiones. Estas se distinguen de las apariciones en que su acción es más rápida, pues no bien se presentan a nuestra vista, cuando del mismo modo desaparecen, como por encanto. Las visiones se aparecen por lo regular en las carreteras, caminos, encrucijadas o edificios ruinosos. Se refieren casos de verdaderas procesiones de frailes, monjas y acompañamiento de entierros: y, finalmente, de espíritus celestes que aparecen y desaparecen con la rapidez de un relámpago.

CAPITULO IV

La Cabra Infernal

Además del "Dragón Rojo", conocido como talismán, hay otro que en unión de la Cabra Infernal se menciona al principio de este tratado. Los espíritus diabólicos acostumbran tomar toda clase de formas tanto de personas como de animales.

Las más usuales, sin embargo, son las de dragón o de cabra, aunque algunas veces se presentan en forma de gato, gallina, cocodrilo, etc.

No ha de temerse al hacer las invocaciones a ninguna de las formas en que los espíritus se presentan y siempre el operador debe estar preparado a la defensa tanto con instrumentos de arte, por si los espíritus quisieran hacerle daño material, como con los talismanes, que pueden servirle para obligarles a la obediencia.

La Cabra Infernal se aparece dando balidos lastimeros como de alma en pena, y el Dragón, lanzando aullidos fuertes y broncos y echando fuego por los ojos y boca. A pesar de mostrarse el Dragón tan imponente, es sin embargo, menos de temer que la cabra por ser ésta el símbolo de la perfidia y del engaño.

El operador deberá por lo tanto hallarse siempre en guardia y no dejarse vencer por apariencia más o menos inocentes. La Cabra representa el disimulo y la astucia más refinada: por alto se dice, hablando de dicho animal; que tiene "arte" y "pacto" con el diablo.

CAPITULO V
TRANSFORMACIÓN DE LA MATERIA

Como disgresión es fácil que conceptúe alguno de nuestros lectores el presente capítulo, mas no lo es en efecto, al proponernos un fin tan relacionado con las ciencias ocultas, como exposición de algunos descubrimientos e investigaciones llevadas a cabo por los sabios que han rendido culto a la Naturaleza, estudiando sus fenómenos con la perseverancia y aliento que los espíritus les han concedido.

Gracias a sus inspiradas observaciones sabemos que las partículas más ínfimas, son mundos poblados por multitud de organismos apreciables únicamente en el campo microscópico, y también sabemos que la tierra en que habitamos.

> junto a lo que en el cielo contemplamos
> no más que un poro llena
> de algún grano de arena
> del fondo de los mares de otro mundo,
> que se agita a su vez en lo profundo
> de un átomo de polvo de granito
> de otro mundo. . . y así. hasta lo infinito.

Sabemos que la materia es indestructible e imperecedera; que lo único que tiene existencia limitada son los cuerpos que la forma; que la muerte de los seres no es más que la transformación de los plasmas que los constituyen; que un cadáver es el fin de una vida y el origen de un sinnúmero de ellas, pues su descomposición es el medio en que los gusanos generan, o bien los materiales que lo componían pasan a enriquecer las plantas facilitando su desarrollo.

Sabemos que nada de lo que existe es inútil, que todo está tan íntimamente unido que, si faltase cualquiera de sus elementos, el desequilibrio universal pronto nos haría sucumbir.

Sabemos que todo es una cadena, cuyos eslabones engranan unos en otros, la cual gira alrededor del orbe ocupando sucesivamente todos sus puntos. Así el agua que cae en forma de lluvia a la capa exterior de la tierra, después de penetrar en su seno, se convierte en vapor y éste en nubes para finalmente volver a regar el suelo.

Sabemos que el cuerpo se compone de moléculas formadas por agrupaciones de átomos. Estos son inertes, inmutables e indestructibles, penetran en nuestro organismo por medio de la respiración y los alimentos, renuevan los tejidos, siendo constantemente reemplazados por otros, por lo que puede afirmarse que en pocos meses el cuerpo humano se halla completamente transformado, y ni en la sangre, ni en la carne, cerebro y huesos queda un sólo átomo de los que le nutrieron meses antes. Como dicha labor se repite en todos los organismos, resulta que lo que sirve hoy de alimento a una persona ha servido anteriormente a otra y servirá más adelante y siempre en constante transformación para nutrir nuevos seres.

Lamarack Darwin, Haeckcl, Masdeu, Kant y otros filósofos, dotados de una profunda sabiduría por los espíritus superiores, nos dan a conocer secretos curiosísimos y maravillosos, explica el último, que en un principio, el Universo entero no era otra cosa que una inmensa masa gaseiforme a una temperatura elevadísima.

Los millones de astros que hoy ocupan el espacio, nacieron por virtud de su movimiento general de rotación, durante el cual las masas que estaban algo más sólidas o más condensadas que el resto de la materia caótica obraron sobre ella como centros de atracción; así se dividió la masa gaseosa primitiva en otras muchas secundarias, cada una de las cuales conservó su movimiento de rotación y tomó, merced a él, la forma de un esferoide, separándose de él un anillo que marcaba la órbita de los futuros planetas y así sucesivamente. A causa del enfriamiento creciente de que eran objeto, los astros tomaron del estado gaseoso al de cuerpo en fusión; después se condensaron y enfriaron todavía más, formándose con gran lentitud en espesor. Cuando la temperatura del globo terrestre descendió hacia cierto grado se verificó la primera aparición del agua en estado líquido, que cayendo sin interrupción, cuando inmensa lluvia sobre la costra sólida tendía a encharcarla y a encenegarla, disolviendo muchos principios y estacándose con preferencia en los sitios más declives.

Sabemos que la generación según Heackel, se ha realizado por heterogenia o séase por la combinación de los elementos, dando por resultado la formación de mónadas de las cuales se concibe nacieron organismos más complejos.

Que hay seres vivientes como las abejas que se reproducen por partenogénesis, es decir que no precisa la fecundación del macho para producir crías (que en tales casos son muchos), se engendran a expensas de los óvalos de las madres: que hay otros, particularmente en los vegetales, que poseen, los dos sexos y se reproducen por sí solos existiendo también algunos que, como las palmeras necesitan para reproducirse y dar frutos, la cooperación de árboles de diferente sexo.

Que, en el fondo de los mares, donde la luz solar no penetra, está tan iluminado relativamente como la superficie, merced al fósforo que tienen en gran cantidad todos los peces.

Sabemos que, si en un depósito se recoge cierta cantidad de agua y se deja en reposo durante largo tiempo, no tardan en aparecer no solamente infusorios, sino larvas y microbios probándose, en fin, que la generación se efectúa en todos los momentos, lo cual no es, bien considerado, más que las infinitas transformaciones que sufre la materia.

Jamás acabaríamos de referir los adelantos que a la ciencia magna se deben, ciencia concedida a las humanas criaturas por el mágico poder de los espíritus elevados o por la esclarecida inteligencia de los nunca bien enaltecidos gnomos.

CAPITULO VI

DEL ÉXTASIS O ABSTRACCIÓN

El fenómeno conocido por "éxtasis" es muy común en aquellas personas que, teniendo la imaginación muy viva, son, sin embargo, susceptibles de ser sugestionadas. El éxtasis es generalmente producido por la influencia magnética de los espíritus que obran sobre nosotros. Puede ser parcial o total. Siendo lo primero, la persona puede tener su imaginación abstraída en cierto modo de todo aquello que le rodea, pero sin embargo percibe los sonidos y cuanto pasa a su lado, aunque sin parar atención sobre ello. Cuando el éxtasis se puede considerar total es cuando el sujeto no se da cuenta ninguna de cuanto pasa a su alrededor. En este estado se puede considerar que la persona pierde hasta la sensibilidad.

Entre los chinos, indios y árabes, es muy frecuente hallar personas en tal estado de abstracción que se les podría pinchar con la aguja sin que dieran señales de sensibilidad.

Según la ciencia, el éxtasis es producido por una exaltación cerebral, la cual puede ser determinada por la ingestión de narcóticos, influencia moral, hipnosis o supersticiones religiosas.

Durante el acceso el cuerpo permanece inmóvil e insensible a los dolores más vivos, quemaduras, pinchazos, laceraciones, etc.

A veces se manifiestan, también, en movimientos convulsivos y alucinaciones al oído o a la vista dando por resultado que se perciban ruidos de voces, músicas, etc., o que se vean objetos y apariciones desconocidas.

Hela aquí:

El éxatisis místico puede determinar las apariciones de santos o diablos, en forma verdaderamente real y según la figura con que cada uno se los represente en su imaginación.

Todo esto sólo obedece a causas sobrenaturales producidas por los buenos o malos espíritus que nos rodean continuamente.

CAPITULO VII

POR QUÉ PERMITE DIOS QUE EL DEMONIO ATORMENTE A LAS CRIATURAS

1º. Para que el hombre obstinado en las culpas, sirva de terror y ejemplo a otros hombres.

2º. Para que los que no sean del todo malos, reciban castigo en este mundo por las culpas que cometen.

3º. Para que la persona que no sea castigada del demonio trate de reconocer a Dios y humillarse a él.

4º. Para castigo de las faltas leves y procurar la enmienda.

5º. Para que se corrijan los hombres, viendo por sus ojos la verdad de la divina justicia.

6º. Para que se pueda apreciar el gran poder de Dios.

7º. Para mostrar la gran santidad de algunas criaturas.

8º. Para aumentar los merecimientos de las criaturas viciadas, volviéndolas al buen camino.

9º. Para purificarse más en todos los sentidos.

10º. Para que las criaturas tengan el purgatorio en este mundo, y que se corrijan viendo que de tantos males pueden salir tantos bienes.

TABLA DE LOS DÍAS FELICES Y DESGRACIADOS

- Meses: Días felices / Días desgraciados
- Enero: 3, 10, 27, 31 / 13, 25
- Febrero: 7, 8, 18 / 2, 10, 17, 22
- Marzo: 4, 9, 12, 14, 16 / 13, 19, 23, 28
- Abril: 5, 7 / 18, 20, 29, 30
- Mayo: 1, 2, 4, 6, 9, 14 / 10, 17, 20
- Junio: 3, 5, 7, 9, 12, 23 / 4, 20
- Julio: 3, 6, 10, 23, 30 / 5, 13, 27
- Agosto: 5, 7, 10, 14, 29 / 2, 13, 27, 31
- Septiembre: 6, 10, 13, 18, 30 / 16, 25, 28
- Octubre: 13, 16, 25, 31 / 3, 9, 27
- Noviembre: 3, 13, 23, 30 / 16, 25
- Diciembre: 10, 20, 29 / 15, 28, 31

LA GALLINA NEGRA

ESCUELA DE SORTILEGIOS

EL VIEJO DE LAS PIRAMIDES O EL ANILLO DEL AMOR

Hasta ahora no os he hablado sino de aquello que me ha sido revelado en los libros que encierran los misterios secretos de las ciencias ocultas. Pero nada os he dicho de mis propios experimentos.

Escuchadme atentamente:

En un pergamino antiquísimo, sacado de un polvoriento rincón de la Biblioteca del convento, logré descifrar, después de largas noches de estudio, que en la Pirámide más elevada de Egipto existía vivo, desde hacía muchos siglos un viejo nigromante poseedor de todas las ciencias mágicas.

—Necesito verle y consultarle — dije.

Y puse en práctica mi proyecto.

Invoqué uno de los espíritus que me obedecían, y le ordené me transportara inmediatamente al lugar indicado.

Cuando me encontré al pie de la pirámide, comprendí que sería inútil mi viaje, si no sabía cómo llamar al misterioso habitador de aquel vetusto y gigantesco monumento. Sí, lo recordaba, por haberlo leído en el pergamino, que era preciso acertar con la losa que daba entrada al lugar encantado.

Llamé a varias losas, sin obtener respuesta. De pronto cuando ya el desaliento íbase apoderando de mi espíritu, toqué con el pie una losa y percibí que se movía. Me aparté a un lado, y vi con alegría, que en efecto, aquella losa era la entrada que buscaba. Apartándose lentamente, y apareció un venerabilísimo anciano. Barba blanca, blanquísima, caía sobre su pecho; un turbante cubría su cabeza; el resto de su traje me anunció que era un mahometano.

— Sé que me buscas —me dijo — Pues bien entra, y te revelaré todos los secretos del arte mágico.

Yo le seguía en silencio.

Bajamos una pendiente, al fin de la cual llegamos a una puerta, que abrió el viejo por medio de un secreto. La cerró con cuidado, y habiendo atravesado una sala inmensa, entramos en otra pieza. Una lámpara se suspendía de la bóveda, había una mesa cubierta de libros, varios sitiales a la oriental, y un lecho para el descanso.

Me indicó que tomase asiento, y acercándose a una especie de armario sacó de él varios vasos. Me invitó a desnudarme y con los bálsamos de que estaban llenos aquellos vasos misteriosos, ungió todo mi cuerpo. Terminada esta operación me dio ropas nuevas, parecidas a las suyas. Sentí entonces en mi inteligencia como una luz inmensa, y comprendí por completo la lengua en que me hablaba, que era la hebrea.

Me invitó a seguirle, abrió otra puerta, y tomando una linterna, entramos en un subterráneo, donde vi diversos cofres alineados: los abrió, estaban llenos de oro y de piedras preciosas de toda especie.

—Ya ves, hijo mío —me dijo — con estos tesoros no hay temor de morir de pobreza. Todo te pertenece. Yo ya llegué al final de mi carrera y quiero dejarte por heredero. Estos tesoros no son fruto de la avaricia o de un sórdido interés: los debo al conocimiento de las "ciencias ocultas" que me son familiares. Yo puedo mandar a todos los espíritus que pueblan la tierra y los aires, y que no son visibles para la generalidad de los hombres.

Te amo, querido hijo, he reconocido en ti el amor a la verdad y la aptitud para las ciencias, y al momento quiero que sepas lo que me ha costado siglos y siglos aprenderlo. La ciencia de los magos, el lenguaje de los jeroglíficos se ha perdido por la desidia de los hombres. Yo sólo soy el depositario de estos secretos. Yo te los comunicaré, y veremos junto los caracteres trazados en las pirámides. Pero antes tienes que renunciar a todo lo que no sea para el bien.

— ¡Oh, venerable anciano! — repuse— nada hay que desee yo tanto como la virtud y la sabiduría.

— ¡Basta! — dijo el viejo — Antes de desenvolver la doctrina de que soy poseedor, quiero iniciarte en los misterios más profundos y sagrados; quiero que sepas que los elementos están poblados de las más perfectas criaturas. Ese espacio, inmenso que hay entre la tierra y los cielos, tiene habitantes mucho más nobles que los pájaros y los insectos; esos seres tan vastos tienen otros moradores más superiores que los delfines y las ballenas, lo mismo sucede con las profundidades de la tierra, que contienen otras cosas que agua y minerales;

y el elemento del fuego, más noble que los otros tres, no ha sido hecho para permanecer inútil y vacío.

Y a continuación me puso en conocimiento de todas las materias contenidas en el capítulo que trata "De lo infinito", el cual será conveniente leer antes de continuar lo que sigue.

—Necesito todavía hablarte de los talismanes, de los anillos mágicos que dan el poder de mandar a todos los elementos, de evitar todos los peligros, todas las emboscadas de los enemigos, asegurando el éxito de las empresas y el cumplimiento de todos los deseos.

Se levantó entonces, abrió un cofre que se encontraba al pie del lecho y sacó una cajita de madera de cedro, cubierta de placas de oro, enriquecida de diamantes, de un brillo y una pureza extraordinarios. La cerradura era, igualmente de oro, así como la llave sobre la cual había caracteres jeroglíficos, grabados con un arte admirable.

Abrió la cajita, y vi una gran cantidad de talismanes y anillos con diamantes, sobre los cuales había grabado infinidad de caracteres mágicos y cabalísticos. Era imposible mirarlo sin quedar deslumbrado.

— Ya lo ves, hijo mío — ^dijo— cada uno tiene sus virtudes, sus propiedades; pero para hacer uso de ellos, hay que conocerlos así como la lengua de los sabios para pronunciar las palabras misteriosas que están grabadas encima. Yo te enseñaré todo.

Cogió un anillo.

— Empecemos por el "anillo evocador" — repuso— Ponte el anillo en un dedo y el talismán sobre el corazón y pronuncia en seguida estas palabras "Siras, Etar, Tesanar" y verás sus efectos.

Apenas salieron estas palabras de mi boca, cuando vi aparecer una multitud de espíritus, de figuras y formas diferentes, y el genio que había a mi lado, y que se me hizo visible me dijo:

—Manda, ordena; todos tus deseos serán satisfechos.

Y añadió el viejo.

—Si quieres que los espíritus desaparezcan, suelta el anillo y el talismán.

Así lo hice, y todo se desvaneció como un sueño.

Entonces me dio otro anillo, el "anillo del amor", y me dijo:

— Este objeto, hijo mío, está destinado a hacerte amar de las mujeres más hermosas; no habrá mujer que no se estime dichosa en agradarte, y que no ponga en práctica todos los medios imaginables para lograrlo.

— ¿Quieres que la más bella odalisca turca sea conducida al instante a tu presencia?

Mete este anillo en el segundo dedo de la mano izquierda oprime el talismán sobre tu boca y di, suspirando tiernamente: "¡Ok Nades, Suradis, Maniner!".

E instantáneamente apareció un genio con alas de color de rosa postrándose de rodillas ante mí.

—Espera tus órdenes —dijo el viejo — dile *"Sader, Prostus, Salaster"*. Yo repetí estas palabras, y desapareció.

—Va a recorrer un espacio inmenso —dijo el anciano— coa la rapidez del pensamiento, y lo que la naturaleza ha hecho más hermoso, aparecerá a tus ojos.

Apenas acababa de hablar, cuando el genio de las alas de rosa llegó trayendo en sus brazos una mujer envuelta en un gran velo blanco. Parecía dormida. El genio la colocó suavemente sobre un canapé que surgió a mi lado. Fue levantando el velo que la cubría y jamás nada tan hermoso se ofreció a mis ojos. Era Venus con todos los encantos de la inocencia. Suspiró la hermosa y abrió los más bellos ojos del mundo, que posó en mí. Lanzó un grito de sorpresa, y exclamó:

— ¡Es él, el que yo deseaba!

El viejo me dijo:

—Acércate; pon una rodilla en tierra; así es como debes hablarle; toma su mano.

Yo obedecí, y la divinidad, a quien yo dirigía mi homenaje, me dijo:

— Te he visto en sueños; yo te amaba, y la realidad te hace más querido de mi corazón; yo te prefiero al sultán.

— ¡Basta! — dijo el viejo.

Y pronunció fuertemente: *"Mammes, Lahar"*.

Aparecieron cuatro esclavos, se llevaron el canapé y a la mujer que había operado en mí una impresión tan viva.

El viejo observó mi emoción, y me dijo:

-—Ya volverás a verla. Para poseer la sabiduría es menester resistir los atractivos de la voluptuosidad.

Me resigné y volví a colocar en la cajilla, el anillo y el talismán del amor.

LOS BANDIDOS PUESTOS EN FUGA

Después de haber descansado me dijo el viejo que podíamos salir un rato y hacer una pequeña excursión por la campiña observando las costumbres del país.

Se puso el viejo un turbante en la cabeza, yo hice otro tanto, y vestidos completamente de turcos, nos dispusimos a salir. Antes de hacerlo, observé que el viejo tomaba un talismán y un anillo, yo le advertí que me había enterado, y entonces él me dijo:

— Eso puede sernos necesario; la precaución es la madre de la seguridad.

Pasados unos minutos nos pusimos tranquilamente en camino: el viejo me entretuvo, hablándome de los cambios que se verifican en la estructura del planeta, de la revolución de los astros que constituyen el sistema planetario y me predijo algunos fenómenos que habrían de presentarse en lo sucesivo.

En esto se percibió en los límites del horizonte una nube de polvo, que se fue aproximando rápidamente.

Transcurridos unos instantes, pudimos percibir perfectamente que lo que ocasionaba la polvareda era un buen galope de jinetes; una horda de árabes, que, según las apariencias, debían de ser bandidos nómadas.

Cuando llegaron a unos cien pasos de nosotros ya no pudo cabernos duda de que su propósito era desvalijarnos, entonces sacando el talismán y el anillo, pronunció el viejo la palabra *"Natastar"*, y me dijo que desde aquel momento éramos invisibles.

En efecto; yo pude observar un movimiento de estupefacción en los bandidos, y en seguida, con visibles muestras de azoramiento, volvieron grupas y huyeron a todo galope en sus corceles.

EL TESTAMENTO DEL VIEJO

Pocos días después, y viendo llegada su última hora, me dijo:

—Cuando ya no exista, colocaréis mi cuerpo en medio de esta sala, tomaréis las maderas olorosas que encierran los cofres de oro, el licor contenido en los frascos que se hallan suspendidos de la bóveda, os serviréis del talismán con que yo formé el huevo del que ha nacido la gallina negra, y después de haber pronunciado las palabras misteriosas se inflamará la hoguera que ha de consumir mi mortal envoltura. Luego tomaréis las cenizas y las colocaréis en esta urna de cristal que pondréis en un sitio próximo a los talismanes mágicos.

Después de una ligera pausa añadió: ¡Oh hijo querido! Apreciad siempre mi memoria, muero contento. Yo hubiera querido indicar a los hombres la verdadera manera de formar la gallina negra, más los espíritus lo han dispuesto de diferente modo. Tú, Jonás, llenaréis esta misión, puesto que ya conoces este secreto. Me siento morir ¡ven querido hijo mío! seca mis lágrimas: yo puedo estrecharte todavía sobre mi pecho: recuerda que la muerte no es temida más que por el hombre que es injusto o culpable.

Al terminar sus palabras, me dio su bendición postrera, dejando de existir aquella alma grande y generosa.

Cumplidos todos sus encargos, regresé de nuevo a mi convento a continuar con la misión, que el Supremo Creador me tenía designada, y a esperar tranquilo el término de mi viaje material.

CAPITULO II
EL SECRETO DE LA GALLINA NEGRA

El famoso secreto de la gallina negra, secreto sin el cual no se puede contar con el éxito seguro en algunas cábalas, y que estaba perdido desde hacía largo tiempo, me fue revelado por el viejo de las pirámides, y cuyas indicaciones expongo a continuación.

Tomad una gallina negra que no haya puesto huevo todavía y que ningún gallo haya pisado. Al cogerla, hacedlo de modo qué no exhale ningún grito, para lo cual iréis a las once de la noche al gallinero; la sorprenderéis mientras duerme, la agarraréis por el cuello apretando lo suficiente para que no cacaraquee, pero sin ahogarla.

Una vez que la tengáis cogida de este modo, la llevaréis inmediatamente a un lugar en que se crucen dos caminos; y allí al dar la media noche, haced en el suelo un círculo con una vara de ciprés, colocaos en el centro, y con el cuchillo de mango negro, abriréis el cuerpo de la gallina en dos partes, pronunciando estas palabras tres veces: *"Eloim, Essaim, frugativi et appellativi".* Volved en seguida el rostro hacia el Oriente, arrodillaos y recitar esta oración: *"Venite in me spíritus mágicus et tuss in anima mea imbuet".*

Hecho esto haréis la gran apelación; entonces el espíritu infernal se os aparecerá vestido con una casaca escarlata con galones de oro un chaleco amarillo y unos calzones de color verde. Su cabeza, que se parecerá a la de un perro con orejas de asno, estará coronada por dos cuernos de vaca; sus piernas serán como las de una vaca.

Os preguntará para qué le llamáis, entonces le daréis vuestras órdenes, las que queráis, pues no puede rehusaros nada, así es que le pediréis, por ejemplo: que os haga muy rico, y por consiguiente muy felices.

Es menester que sepáis que antes de comenzar esta operación mágica, deberéis hallaros en estado perfecto, sin que tengáis nada que reprocharos. Eso es tan esencial, que si cuando invocáis al espíritu maligno, no os halláis bastante purificados, lejos de ponerse el espíritu a vuestras órdenes, seréis vosotros los que quedaréis bajo su dominio.

Conviene que os advierta que no es tan fácil procurarse una de estas gallinas negras, que tiene propiedades mágicas.

Caso de no poder lograrla, será necesario hacerla nacer, para lo cual expondré, a continuación; el medio de conseguirlo, cumpliendo así el encargo del viejo de las pirámides.

Tomad varios trozos de madera aromática, tales como el áloe, el cedro, el naranjo, el limonero, el laurel, la raíz del iris, las rosas cuyas hojas se hayan desecado al sol; los pondréis en una cazuela de oro, extenderéis encima aceite balsámico, incienso purísimo, goma transparente, y pronunciaréis las palabras: *"Athas, Solimán, Erminatos, Paseim".*

En este instante percibiréis los rayos del sol, esté donde esté a aquella hora, los cuales irán a herir la cazuela de oro. Colocaréis sobre ella un vaso de cristal, golpearéis con la vara mágica este vaso, y en el mismo instante los perfumes y los troncos de maderas olorosas que estén en la cazuela, se encadenarán y un olor suavísimo se extenderá por la habitación. A poco no quedará en la cazuela más que cenizas.

Tomaréis inmediatamente un huevo de gallina negra, que tendréis preparado de antemano en un saco de terciopelo negro; dicho huevo le depositaréis sobre las cenizas ligeramente calientes. Cuando ya todo se halle bien preparado, se pondrá la cazuela dentro del saquito negro, éste se coloca a su vez, en sitio de la habitación donde penetre la luz del sol y se cubre con una campana de metal.

Hasta aquí sólo hemos llegado a la mitad del camino.

Se necesitará que en un braserillo dorado se tengan constantemente encendidos algunos carbones de encino y que a las doce del día y de la noche se echen unos polvos de rosa e incienso, y después, elevando los ojos y brazos hacia el cielo, exclamaréis; *"¡Oh, Tanapoter, Isnaí, Noutapilus, Estivaler, Conospitus."*

Cada vez que se haga esta operación, se levantará la campana, y se contemplará el saquito. Si éste se mueve es prueba de que ya ha nacido la gallina. Cuando esto suceda se destapará con cuidado y entonces se podrá notar que el sol lanzará sus rayos sobre la campana con mayor fuerza y violencia. La campana se pondrá del color del fuego, el huevo desaparecerá ante vuestros ojos, un vapor ligero se elevará en los aires, y en el acto veréis removerse una pollita completamente negra, que se pondrá de pie y empezará a piar ligeramente. Le tenderéis un dedo pronunciando estas palabras:

"*Binusas Testipas*", y el volátil se subirá al dedo, después se deslizará en vuestro seno.

Ya tendréis la gallina negra, objeto de vuestras más vivas ansias, y que os procurará los tesoros que deséis.

CAPITULO III
De los Sortilegios

Los sortilegios que se forman por medio de prácticas y ceremonias mágicas, sirviéndonos de ellas para lograr aquellas cosas que por medios naturales no nos sería posible adquirir.

En esta sección hemos puesto aquellos que son más usuales a las necesidades de la vida o al logro de nuestros deseos.

SORTILEGIO PARA LIGAR A UNA PERSONA

Para este sortilegio hace falta preparar una medalla de Santa Elena, colocándola sobre un trapo de seda verde, en el que se clavarán tres clavos pequeños dorados, que servirán para la ceremonia.

También se necesita un objeto, retrato o figura, que esté dedicado a la persona que se quiere ligar, en la cual se habrá de clavar uno de los clavos según se indica en la siguiente:

INVOCACIÓN A SANTA ELENA

"¡Oh gloriosa Santa Elena, madre amantísima del gran Constantino, emperador romano. Vos, que siendo hija del rey y la reina, al monte Olivete fuisteis por vuestro entrañable amor hacia el divino Jesús.

Yo requiero vuestra poderosa intercesión para conseguir lo que deseo. De estos tres clavos de Nuestro Señor Jesucristo imitación en los que vos hicisteis, uno lo doy a tu hijo, el gran Constantino, por igual, queda en vuestra bendita imagen, otro tiro al agua como Vos los tiráistes al mar, para salvación de los navegantes, y el otro, le clavo en este objeto dedicado a N., para que se clave en su corazón, a fin de que no pueda comer, ni en cama dormir, ni en ella sentar, ni con mujer ni hombre hablar, ni tenga momento de reposo, hasta que por vuestra intercesión se rinda a mis plantas.

Si esto que deseo me fuese concedido por vuestra mediación, seré toda mi vida vuestro amante sincero y devoto (devota), por los siglos de los siglos. Amén. "

OTRO SORTILEGIO AL MISMO OBJETO

Tómese un anillo de oro en el cual haya un diamante engastado, que no haya sido usado y envuélvase n un pedazo de seda. Se coloca sobre el corazón y se lleva durante nueve días y nueve noches.

Al cumplir este plazo se vuelve a tomar el anillo y a la salida del sol se graba con la lanceta alrededor del oro, la palabra "*Scheva*". Se juntarán tres cabellos de las personas que se quiera, con otros tres del mismo que hace la experiencia. Luego se coloca una bolsa verde y se pone sobre el corazón durante seis días.

Después de lo indicado se guardarán cuidadosamente los cabellos en la bolsa de seda, diciendo;

"Es mi deseo más vehemente que, así como los cabellos de fulana (o fulano) se juntaron con los míos, así se junten también nuestros cuerpos y almas en amoroso abrazo durante el tiempo de nuestra vida y residencia en este planeta. Así sea, por la virtud de Screva, así sea."

Hechas las ceremonias indicadas sólo resta conseguir que la persona amada admita la sortija y los use, que si esto se logra, el mágico hechizo obrará sobre ella de una manera sorprendente.

SORTILEGIO PARA ENAMORAR

El 24 de junio por la mañana antes de salir el sol, recójase la planta Emula campana, hacedla secar y reducidla a polvo junto con ámbar gris; meted estos polvos dentro de un saquito que llevaréis suspendido por espacio de nueve días sobre vuestro corazón. Se dará, en comida o bebida, unos pocos de estos polvos a la persona que deséis os ame, y os amará infaliblemente.

OTRO AL MISMO OBJETO

Tomad un corazón de golondrina, uno de pichón y otro de gorrión, mezclad con ellos unas gotas de vuestra sangre; se pican con el cuchillo de mango blanco y se ponen a secar al horno hasta poderlo reducir a polvo. Hecho esto se darán en comida o bebida a la persona que se quiera lograr.

SORTILEGIO PARA QUE PUEDA SABER UNA MUJER EL MARIDO QUE TENDRÁ

La mujer tomará dos pequeñas ramas de álamo blanco que atará en sus medias con una cinta de hilo blanco, y antes de acostarse Colocará sus medias debajo de la almohada, después se frotará las sienes con un poco de sangre de abubilla (saliendo del animal) y dirá la oración siguiente:

"Kivios clamentísime qui Abraham serviis tuus de diste urorem Earam et filio ejes-obedíentísimus, por admirabile signura indicati Rebecam; usorem; usorem indica mihi ancille tuc quem seni napture vivura per ministerium Bulideth Ansaibe, amén."

Esta ceremonia se hará durante nueve noches, colocando la almohada y las medias, en la parte de los pies, y acostándose en esa dirección.

Si se hace bien la prueba, verá en sueños el hombre con quien ha de casarse.

PARA QUE UN HOMBRE VEA LA ESPOSA QUE TENDRÁ

Se tomará coral pulverizado, polvos de imán y sangre de pichón blanco. Se formará una pasta que se meterá dentro de un higo grande, se envolverá todo con un pedazo de tafetán azul, al acostarse colgará este amuleto al cuello y se pondrá debajo de la almohada un ramo de mirto.

Cuando se acueste, dirá la oración como en el anterior, variando las palabras *"ancille tue quem seni napture vivum"*, por las siguientes: *"Servo tua quam sine nupciorme suoren"*.

También deberá poner la cabecera a los pies durante las nueve noches.

SORTILEGIO PARA APLACAR LA COLERA

Con dos te miro, con tres te ato, la sangre te bebo y el corazón te parto. Cristo, valedme y dadme la paz.

(Se repite tres veces).

PARA LLAMAR LA MUERTE Y LIBRARSE DE MAL

Se pone en una bolsa de trapo blanco una cabeza entera de ajos, con hierbabuena, perejil, sal e incienso. Se pasa por siete pilas distintas de agua bendita, y al mojarlo en cada una se dice: *"Líbrame de mis enemigos que me quieren mal."*

PARA ATRAER UNA PERSONA QUE SE DESVIA

Se compra un limón de los más pequeños, verdoso y duro; se toman tres varas de cinta blanca de lustre y 50 alfileres nuevos y pequeños. Se clava un alfiler arriba del limón, o sea en la punta, dos en la parte baja y los demás se colocan clavados, formando cruz, por todo el limón. Hecho esto, se ha de rezar durante nueve días y en la hora de las doce del día y de la noche, la oración siguiente:

"Fulano (aquí el nombre de la persona), no te dejaré vivir, parar ni sosegar hasta que tú. Fulano de tal, o Fulana (si es mujer) vengas a mi casa a buscarme. Quiero que no puedas vivir ni sosegar en ninguna parte parar mientras que tú, N., no vengas a buscarme".

Se reza un credo por la pasión y muerte de Nuestro Señor Jesucristo, y se dice:

> *"Este credo lo aplico a la intención de que Fulano olvide a las personas que trate, menos a mí, por la virtud de este limón y por el cariño que le tengo."*

Todo lo anterior se repite durante siete veces, haciendo un nudo a la cinta cada vez en el centro. Cuando ya tiene los siete nudos, se coloca el limón atado con la cinta al costado izquierdo, donde deberá llevarse durante nueve días, sin que se entere nadie, y menos la persona a quien va dedicado, pues si se entera o lo toca, pierde el encanto y hay que poner otro.

El rezo se repite durante nueve días a las doce del día y de la noche, pero no así la operación de clavar los alfileres y de hacer los nudos, porque esto sólo debe hacerse la primera vez. El limón puede colocarse en una bolsita para ponerlo al costado izquierdo, pero es muy importante que vaya ésta con la cinta de log siete nudos.

SUERTE DEL GATO NEGRO

Procurarás tener un gato negro, y todos los martes, a las doce de la noche, le frotarás el lomo con un poco de sal molida, recitando la siguiente oración:

"¡Oh Planeta Soberano! Tú que en esta hora dominas con tu influencia sobre la Luna, yo te conjuro por la virtud de esta sal y de este gato negro, y en el nombre de Dios Creador, para que me concedas toda clase de bienes, tanto en salud, como en tranquilidad y riquezas."

SAHUMERIO MARAVILLOSO CONTRA LOS MALEFICIOS

Se toma incienso en grano, estoraque en polvo, mirra también en polvo, laurel seco, cascaras de ajo, clavos de especia, y todo junto se echa en brasas. Cuando se eleva el humo se dice la siguiente oración:

"Casa de Jerusalén donde Jesucristo entró, el mal al punto salió, entrando a la vez el bien, yo pido a Jesús también que el mal se vaya de aquí y el bien venga para raí por ese sahumerio, amén. "

Luego se riega la casa con agua bendita.

SORTILEGIO DE LA PIEDRA IMÁN

Se toma un trozo de piedra imán, se va a la iglesia en ocasión que digan misa o que haya dos velas encendidas. Se acerca a la pila del agua bendita, se pone un poco de sal molida sobre el imán, y se mete en el agua diciendo:

"Imán, yo te bautizo, en el nombre de Dios padre. Dios hijo, yo te bautizo. Imán eres imán serás y para mi fortuna y suerte te llamarás."

Hecho esto se arrodillará en el centro de la iglesia teniendo la piedra en la mano, y se reza un credo. Todo lo indicado ha de hacerse con mucha devoción. Después, se va a casa, se toma una bolsita de lana encarnada y se reza esta oración:

"Hermosa piedra imán mineral y encantadora que con la Samaritana anduviste, a quien suerte, hermosura y hombre le diste; yo te pongo oro para mi tesoro, plata para mi casa, sobre para el pobre, coral para que se me quite la envidia y el mal. trigo para que Fulano sea mi marido, en el caso de no tener novio se dice: para que me des un buen marido. "

Estas ceremonias se hacen teniendo preparadas limaduras de oro, plata, cobre y unos granos de trigo. Todo esto con el imán se coloca en la bolsa dicha.

Todos los viernes se toma un poco de aguardiente suave en un vaso y se mete en él la piedra imán, rezando la siguiente oración:

"Oh, hermosa piedra imán y mineral que con la Samaritana anduviste, suerte y hermosura para los hombres le diste y a mí me darás suerte y fortuna."

Después de haber dicho lo anterior oración, se vuelve a colocar la piedra imán en su bolsa, y entonces beberás el aguardiente y echarás dentro de la bolsita unas limaduras de acero o de hierro, que podrás adquirir en cualquier cerrajería, el aguardiente y el acero son el alimento de la piedra, que sin esto perdería su eficacia y moriría.

PARA QUITAR LOS FLUJOS DE SANGRE. LOS FLUJOS BLANCOS Y LOS DOLORES DE LA MATRIZ

Se llama Alomancia la adivinación por medio de la sal. cuece todo junto y se toma una taza en ayunas, durante nueve mañanas; se descansa unos días y se vuelve a tomar otras nueve mañanas y así sucesivamente hasta quedar completamente bien.

FILTRO CONTRA EL AMOR

Si se quiere dejar de amar a una persona indigna de nuestro amor, se hará lo siguiente:

Se escogerá un lunes, cuando la luna esté en menguante, y a media noche, luego que el gallo con su canto haya ahuyentado a los demonios, salid de casa y dirigios al borde de un riachuelo, de un estanque o del mar, os metéis con los pies desnudos y recogeréis tres flores de circe, diciendo a cada vez: "*¡Oh, prohebir renevecute remerio amoris interno!*"

Volveos a casa antes que el gallo cante y meteréis las tres flores en una redoma, con media cucharada los aleros.

Los primeros cristianos empleaban y aún emplean redoma en una ventana a la influencia de los astros; durante este tiempo haréis un ayuno extremadamente riguroso, y os abstendréis de tomar toda clase de licores; a los trece días, meteréis en la redoma una cucharada de miel, cogida en otoño, y al mediodía, estando en ayunas, tomaréis este filtro, pronunciando las palabras mágicas dichas anteriormente, luego procuraréis encontrar la persona que queréis olvidar, y sin mirarla ni tocarla disputaréis con ella, cesará de amaros. Este filtro también tiene la virtud de librar del hombro derecho: *Satán, toma tu parte y vete."*

FILTRO MÁGICO PARA OBTENER LOS FAVORES DE UNA MUJER

Tómese una onza y media de azúcar cande o piedra, pulverícese groseramente en un mortero nuevo, en día viernes por la mañana, diciendo a medida que machaquéis: *"Abrasax, Abracadabra".*

Mezclad esta azúcar en medio cuartillo de vino blanco bueno, guardad la botella en una cueva obscura o en un cuarto tapizado de negro, por espacio de veintisiete días; cada mañana tomad la botella y la agitaréis por espacio de un minuto, diciendo, *Abrasax*. Por la noche haréis lo mismo durante tres minutos, y diréis tres veces *Abracadabra*.

A los veintisiete días pasaréis el vino a otra botella, juntándole dos granos de mostaza blanca, y tendréis el filtro hecho. A los tres días se agita y se cuela, convidando a comer a la persona que se quiere conseguir, y se le obsequia con el filtro indicado.

Si lográis que beba la mitad, estad seguros que veréis satisfecho vuestro deseo.

ORACIÓN PARA LIBRARSE DE IR DE SOLDADO

"Señor y Creador, que no habéis querido que vuestra túnica fuera partida en pedazos, sino que fuese jugada en suerte, hacedme a mí la gracia de que salga libre del

sorteo. Señor, libradme; Señor libradme a mí, si queréis".

Se repetirá tres veces con gran devoción.

ORACIÓN PARA PRESERVARSE DE LOS MALOS ESPÍRITUS

"¡Oh, Padre Todopoderoso! ¡Oh, Madre, la más tierna de las madres! ¡Oh, ejemplo admirable de la ternura maternal! ¡Oh. Hijo, la flor de todos los hijos! ¡Oh, forma de todas las formas! Alma, espíritu, armonía de todas las cosas. Consérvanos, protégenos, condúcenos, líbranos de todos los espíritus malos que nos asedian continuamente sin que nosotros lo sepamos. Amén."

SORTILEGIO DE LA SAL

Se llama Alomancia la adivinación por medio de la sal.

La sal ha sido en todos los tiempos, considerada como sagrada. Entre los romanos era de mal presagio para el que daba una comida si algún convidado se dormía antes que se hubiesen retirado los saleros. Los primeros cristianos empleaban y aún emplean la sal en algunas de sus ceremonias religiosas, como el bautismo, símbolo de sabiduría.

Muchas personas consideran como anuncio de una gran desgracia, cuando, por casualidad, se derrama un salero sobre el mantel.

Para conjurar este mal efecto, se toma con la punta del cuchillo un poco de sal derramada y se lanza hacia atrás, por encima del hombre derecho: *"Satán, toma tu parte y vete."*

Y dicho esto, huye el diablo, y nada hay que temer.

ORACIÓN PARA GANAR EL JUEGO DE LA LOTERÍA

Es preciso antes de acostarse, recitar devotamente esta oración, después de lo cual la colocaréis debajo de la almohada, escrita sobre pergamino virgen con tinta mágica. Durante el sueño, el genio que preside vuestra vida descendiendo del planeta bajo el cual nacisteis, se aparecerá a vuestro espíritu, desligado momentáneamente de los torpes sentidos carnales, y os indicará la hora, el lugar, y, si sois de los elegidos hasta el número que debe tener vuestro billete.

"¡Oh, misterioso Espíritu que diriges todos los hilos de vuestra vida! Desciende hasta mi humilde morada. Ilumíname para conseguir, por medio de los secretos azares de la Lotería, el premio que ha de darme la fortuna, y con ella, la felicidad, el bienestar y el reposo. Penetra en mi alma. Examínala. Ve mis intenciones, que son puras y nobles, y que me encamines en bien y provecho mío y de la humanidad en general. Yo no ambiciono riqueza para mostrarme egoísta y tirano. Deseo dinero para comprar la paz de mi alma, la ventura de los que amo y la prosperidad de mis empresas. Sin embargo, si tú conoces ¡oh, soberano Espíritu, clave de la infinita sabiduría! que yo no merezco aún la fortuna y que todavía debo pasar

muchos días sobre la tierra en medio de las amarguras y batallas de la pobreza, hágase tu voluntad, yo rae resigno a tus decretos; pero ten en cuenta mis sanos propósitos, el fervor con que te invoco, la necesidad en que me hallo, para que en el día que esté escrito en el libro de mi destino, sean satisfactoriamente atendidos mis votos, que están expuestos con toda la sinceridad verdad y ansiedad. "

No hay que perder las esperanzas si por acaso no acude el Espíritu a vuestro primer llamamiento. Vuestra oración es siempre escuchada y anotada. Al cabo, cuando ya os convenga, la fortuna vendrá, infaliblemente, a vuestras manos.

Pero no dejéis de recitar la anterior oración en la forma que se ha dicho. Conviene, en todo caso, jugar el primer número que se presente a vuestra imaginación, al despertar después del sueño mágico.

MODO ESPECIAL DE LIGAR A UN HOMBRE

Aquella mujer que quiera tener seguro al marido o amante con quien trate, tomará tres varas de cinta blanca, hará en ella siete nudos, colocando entre ellos unas tijeras abiertas en forma de espada o cruz.

Se tomará un poco de imán y se pondrá en una bolsita en unión de una moneda de plata que tenga estampadas las armas de España (en el centro de cuyo escudo existen cuatro líneas formando cruz), a la que se agregarán un Talismán de Venus, para mayor seguridad.

Hecho esto, sólo resta colocar la bolsita en el centro de las tijeras anudándola siete veces con un hilo blanco.

Para este sortilegio, deberá atarse a la cintura anudando la cinta siete veces.

El varón que esté con la mujer que use este sortilegio, no podrá hallar placer con ninguna otra, pero es de absoluta necesidad que él ignore la existencia de dicho sortilegio, puesto que en el momento que lo sugiera perdería el encanto.

Para deshacer el sortilegio bastará con cortar todos los nudos, diciendo al mismo tiempo:

"Yo desligo a N. del hechizo que los nudos cruces y medallas obraren sobre él, para lo cual corto y destruyo el sortilegio que por su virtud tenía formado. "

RECETA PARA OBLIGAR A UN MARIDO A SER FIEL

Tómese la médula del pie de un cachorro negro de los de raza llamado chino, que no tiene pelo, y llénese con ella un agujero abierto en un pedazo de pan.

Envuélvase todo esto en un trozo de terciopelo encarnado, perfectamente ajustado y cosido.

Después descosiéndose la parte del colchón que queda entre el marido y la mujer, se introduce el dicho envoltorio; de modo que no incomode cuando se acueste el matrimonio.

Hecho esto, la mujer procurará tomarse muy amable y condescendiente, concordando en todo con la voluntad del marido.

Procurará no reír cuando el marido esté triste, y le prometerá ayudarle, y consolarle cuando por acaso la suerte le fuere adversa, fingiendo resignarse si cree que su esposo tiene una querida.

Por la noche, al acostarse, y por la mañana al levantarse, le dará un vaso de leche con un huevo batido, adúcar, canela y clavo.

En el caso de que la leche no fuera del agrado de su esposo. le preparará un vaso de buen vino con los ingredientes indicados.

Se despojará ella de toda la ropa que le sea posible, cuando duerma con él, acercando mucho su cuerpo al de su marido para trasmitirle su calor y su sudor.

Siempre que entre de la calle su esposo, le tendrá preparada alguna golosina, demostrando que no deja de pensar en él. Después le dará un beso, o muchos, en la boca.

Si él fuese grosero o áspero, no le contraríe nunca; si fuese dócil, aunque inconstante, muéstrese ella siempre superior a él en los sentimientos y en los actos.

Esta receta es de un efecto indiscutible.

RECETA PARA OBLIGAR A LAS SOLTERAS Y A LAS SEÑORAS CASADAS PARA QUE DIGAN TODO LO QUE HARÍAN, TENDRÁN INTENCIÓN DE HACER O HAN HECHO

Tómase el corazón de una paloma y la cabeza de una rana, y después de bien seco y reducidos a polvo, llénese un saquito con esos polvos que se perfumarán agregándole un poco de almizcle.

Déjese el saquito debajo de la almohada de la persona, cuando estuviera dormida, y a un cuarto de hora después se sabré lo que se desea descubrir. Luego se retira el saquito.

RECETA PARA SER FELIZ EN LAS COSAS QUE SE EMPRENDAN

Tómese un sapo verde y córtesele la cabeza y las patas, seis domingos después de la luna llena de septiembre déjense estos pedazos en remojo por espacio de veintiún días en aceite de romero, retirándolos pasado este plazo, a las doce campanadas de la media noche; exponiéndoles después por espacio de tres noches seguidas a los rayos de la luna; calcínese en un puchero nuevo, mezclándolos luego con un poco de tierra de cementerio, precisamente de la tierra en que está sepultada alguna de las personas de la familia a quien se dedica la receta.

El que haga esta receta exactamente como aquí se indica, puede estar cierto que el espíritu del difunto velará por su persona y por todo lo que emprenda, y la parte mágica del sapo velará por Sus intereses.

RECETA PARA HACERSE AMAR POR LAS MUJERES

Ante todo, conviene estudiar un poco que sea, el carácter o genio de la mujer que se quiere conquistar, y dirigir y regular la norma de conducta con arreglo al resultado que se ha obtenido de dicho conocimiento.

Será inútil recomendar, conforme a los recursos de cada cual, un traje, si no elegante o rico, por lo menos de una limpieza insuperable.

El hombre puerco está incapacitado para enamorar.

Hay que advertir que esta limpieza no sólo se requiere para la ropa, sino también para todas las partes del cuerpo.

Observada esta primera condición, tómese seis meses después el corazón de una paloma virgen, y se le hace tragar a una culebra; la culebra, al cabo de mayor o menor espacio de tiempo, morirá; tómese entonces su cabeza y tuéstese sobre una chapa caliente a fuego lento, redúzcase a polvo, machacándola en un almirez, después de haberlo mezclado con algunas gotas de láudano.

Cuando se quiera usar esta receta, restréguese las manos con una parte de esta preparación.

El efecto es seguro.

RECETA PARA HACERSE AMAR POR LOS HOMBRES

Frótese la mujer las manos con la anterior receta, y además, practique lo siguiente:

Procurará la mujer adquirir del hombre que escoja, una moneda, medalla, alfiler o cualquier otro objeto o pedazo de objeto siempre que sea de plata, y que lo haya traído consigo por espacio de veinticuatro horas, por lo menos.

Aproxímese al hombre escogido, teniendo dicho objeto en la mano derecha y ofrézcale con la otra una copa de vino, en cuyo fondo se haya desleído la bolita, del tamaño de un grano de mijo, de la siguiente composición:

Una cabeza de águila, un dedal de simiente de cáñamo, dos gotas de láudano y seis gotas de su propia sangre, tomadas del menstruo, en el mismo mes.

Luego que el individuo haya bebido la copa de vino, con esta mixtura, amará forzosamente a la mujer que se la da, pudiéndose renovar los efectos del encinto una vez al año.

PARA TENER SUEÑOS FELICES

Puede lograrse de varios modos; por medio, de figuras, signos, palabras o encantamientos, así como por medio de preparaciones de opio y de cañamones, mezclados en determinada proporción, como, por ejemplo: cuatro onzas de cañamones por media onza de opio sólido, añadiendo a esta mezcla un grano de almizcle, y derramándolo todo en un cuartillo de vino generoso.

Esta preparación se usa mojando un trapito de hilo y aplicándolo a la frente al acostarse.

También basta, a veces, para obtener el mismo objeto, comer antes de acostarse, una manzana de la reina, cogida el día de San Juan, al salir la Luna.

PARA HACER DANZAR A UNA MUJER DESNUDA

Tómese mejorana silvestre, verbena, hojas de mirto, con tres hojas de nogal y tres de hinojo, todo cogido en la mañana de San Juan, antes de salir el sol.

Después se seca todo a la sombra, se hace polvo y se pasa por un tamiz de seda y cuando se quiera usar, échese al aire, hacia el lugar donde está la mujer, y el efecto sucederá al instante.

PARA SABER SI UNA MUJER ES INFIEL

Es casi seguro que, si se coloca en tiempo oportuno un diamante fino sobre la cabeza de una mujer que está durmiendo, se conoce si es fiel o infiel a su marido, porque si es infiel despertará sobresaltada, y si es casta abrazará a su marido con cariño.

Esta receta es de un efecto segurísimo, pues se ha experimentado en infinidad de veces, habiendo resultado tal y Como se indica, a menos de extraordinarias circunstancias.

PARA IMPEDIR QUE UNA MUJER SEA INFIEL

Tómese una madeja de su pelo, escogiendo los cabellos más largos, quémese sobre carbón hecho ascuas y échese las cenizas sobre una cama, sofá o mueble cualquiera que antes se haya frotado con miel.

Procure el marido que se siente lo más pronto posible sobre aquel mueble, que después no podrá amar más que a él, ni tendrá gusto alguno en ser cortejada por otro.

PARA QUE UNA MUJER SEA AMADA POR UN HOMBRE A QUIEN ELLA QUIERE

Tómese pelo de la barba del hombre que la mujer quiere que le ame, procurando que sea lo más inmediato posible de la oreja izquierda; y una moneda de plata que él haya llevado encima por lo menos medio día.

Póngase todo junto a hervir en un jarro de asperón nuevo lleno de vino, échese también salvia y ruda, y al cabo de una hora sáquese la moneda.

Cuando se quiera hacer la prueba se toma la moneda en la mano derecha, se acerca la mujer al hombre deseado pronunciando estas palabras:

"Rosa de amor y flor de espina",

bastante alto para que él la oiga, luego se le toca ligeramente el hombro izquierdo, y entonces él la seguirá a todas partes.

ORACIÓN PARA PRESERVARSE DEL RAYO

Se pasa una cinta blanca por el brazo, garganta, o cintura de Santa Bárbara; la cual cinta obra, para quien la posee, como un verdadero talismán.

Cuando empiece la tormenta, enciéndase una vela que tenga una cuarta aproximadamente.

Hecho esto, de hora en hora, después de lavarse la cara por tres veces con agua exorcizada, se dirá la siguiente oración:

"En Vos confío. Señora, que intercedáis por mí cerca de Aquel que murió por los pecadores. Como esta santa cinta que poseo, tengo el alma pura y puras mis intenciones. Sálvame, Señora, si soy digno (o digna) de vuestra protección contra los terrores del rayo."

RECETA PARA GANAR AL JUEGO

Mándase hacer un higo de azabache, recomendando esencialmente que se labre con un instrumento nuevo y de acero.

Llévese el higo al mar, suspenso de una cinta de Santa Lucía y pásese de tres veces a siete veces sobre las espumas de las ondas.

Después de hecho esto, se reza tres veces el credo, en voz muy baja, y se ofrece a Santa Lucía una vela de a cuarta.

El jugador traerá este higo al cuello, cuando jugare, teniendo, sin embargo, cuidado de no dejarse cegar por la ambición, ni arrastrar la codicia.

MAGIA DEL HUEVO EN LA NOCHE DE SAN JUAN

En la noche de San Juan Bautista 24 de junio, se deja al relente un huevo de gallina negra. El huevo debe quedar quebrado dentro de un barreño con agua; por la mañana, al nacer el sol. iréis a verlo, y allí veréis vuestra suerte, y los trabajos que tenéis que pasar en esta vida.

De la misma manera se puede hacer esta magia en la noche de San Antonio y de San Pedro.

RECETA PARA LIGAR ENAMORADOS

Cómprese una vara de cinta, y al salir de la tienda, mírese al cielo y dígase:

"Tres estrellas veo en el cielo, y la de Jesús cuatro, y esta cinta a mi pierna ato, para que fulano no pueda comer, ni beber, ni descansar, mientras no se case conmigo."

No se eche en olvido que es preciso que el jarro de asperón permanezca al fuego, porque el ardor del hombre se mide con el calor del vino.

Débese decir tres veces seguidas, hacer en la cinta siete nudos, antes de atarla a la pierna, y llevarla siempre puesta.

Es muy importante que él lo ignore.

PARA CURAR EL REUMA

Se ponen en una botella de aceite común, algunas lombrices de planta; se deja esta botella en estiércol caliente nueve días con sus noches, después se pasa el contenido de la botella a una cazuela y se cuece.

Se dan fricciones con dicho aceite y el alivio es probado.

MODO ESPECIAL DE PRODUCIR HECHIZOS SOBRE LOS PERROS

Se toman unos trozos de cordilla o tripa de oveja; se llevan durante una hora en el sobaco y luego se le echa en varias veces al perro que se quiere hechizar.

En cuanto el perro coma el primer trozo, abandonará a su dueño y se irá tras la persona que se lo haya dado.

CUADRO DE LOS SEPHIROTAS

Grabado original de los Sephirotas

EL GRAN GRIMORIO O
EL PACTO DE LA SANGRE

CAPITULO I

MODO DE PREPARARSE PARA EL PACTO DE LA SANGRE

¡Oh, hombres! ¡Frágiles mortales! los que pretendéis poseer la profunda ciencia mágica; ¡temblad de vuestra temeridad! Para conseguirlo, necesitáis colocar vuestro espíritu muy por encima de vuestra esfera, haceros firmes e inquebrantables y estar muy atentos a observar exactamente cuánto os diré, sin lo cual todo se volverá en vuestro perjuicio, destrucción y completo aniquilamiento, pero si, por el contrario, observáis atentamente, cuanto os diga, saldréis con facilidad de la posición pobre y humilde y coronará el éxito todas vuestras empresas.

Armaos, pues de intrepidez, sagacidad y virtud para emprender esta grande inmensa obra en la que yo he pasado sesenta y siete años, para lograr algún resultado. Por esto es preciso practicar exactamente cuánto después se dirá.

Pasaréis un cuarto de luna llena sin acompañaros de mujeres ni de jóvenes, a fin de no caer en la impureza.

Comenzaréis vuestra práctica al empezar el cuarto de luna, prometiendo al gran Adonay que es jefe de todos los espíritus, no hacer más de dos colaciones por día. es decir, dos colaciones durante cada veinticuatro horas del cuarto de luna; precisamente a las horas del mediodía y de la media noche, o si lo preferís a las siete de la mañana y siete de la noche, si bien a los ojos del gran Adonay es más grato que se haga a las horas primeramente señaladas.

Durante todo el cuarto de luna es preciso dormir lo menos que se pueda, no debiendo exceder en modo alguno de seis las horas que por día han de dedicarse al sueño.

Todos los días, después de cada colación, se recitará la siguiente plegaria:

"Yo os imploro, grande y poderoso Adonay, maestro y señor de todos los espíritus; yo os imploro ¡oh Eloim! yo os imploro ¡oh Jehovám! yo os doy mi alma, mi corazón, mis entrañas, mis manos, mis pies, mi espíritu y mi ser. ¡Oh, gran Adonay! dignaos ser me favorable. Así sea. Amén. "

En todo el cuarto de luna no habréis de acicalaros, ni componeros, ni tener pensamientos más que para la obra que estáis realizando, poniendo toda vuestra esperanza en la infinita bondad del gran Adonay.

Es preciso observar que vuestros ejercicios habéis de hacerlos sin la asistencia de nadie; no siendo que os acompañéis de persona que tenga pacto hecho con algún espíritu.

Los ejercicios se han de practicar en habitación preparada al efecto, y sin que distraigáis la mente del trabajo que vais a realizar.

Buscaréis un cabrito virgen, lo adornaréis, el tercer cuarto de luna, con una guirnalda de verbena que ataréis a su cuello, la que vendrá a parar desde la frente, llevándolo al lugar marcado para interpelar al espíritu, pronunciar si con todo fervor y recogimiento las siguientes palabras:

"Yo os ofrezco esta víctima, ¡oh gran Adonay! ¡oh Eloiral ¡oh Ariel! ¡Oh Jehovam! como ofrenda a vosotros, superiores a todos los espíritus. Dignaos aceptarla con agrado. Amén."

En seguida degollaréis el cabrito haciendo que su sangre caiga sobre un barreño nuevo, recitando a la vez estas palabras:

"Esto lo hago en honor, gloria y poderío de vuestros divinos nombres ¡oh grandes Adonay, Eloim, Ariel y Jehovam! Dignaos recibir con agrado esta mi ofrenda. "

Luego se quitará la piel que ha de utilizarse al hacer la invocación y presentar el pacto.

Sin perder momento deberán mezclarse en la sangre algunos polvos de sáuco, malvarrosa, lirio de Florencia y azogue, con objeto de dotarla de propiedades mágicas, añadiendo unas gotas de vuestra sangre, que se sacará del dedo corazón de la mano izquierda, pinchando ligeramente con un alfiler nuevo, diciendo al mismo tiempo. Sea transformada la sangre de la víctima en la más propia, para que, por su virtud, sea atendido el pacto que coa ella voy a escribir.

Hecho esto se trazarán con el cuchillo que ha servido para d sacrificio, sobre la superficie de la sangre, varios rayos formando una estrella y se dirá al hacerlo:

"Los dones planetarios se ponen sobre esta sangre que contiene metal, aromas y espíritus, para colmarla de virtudes atractivas, a fin de que los Espíritus superiores se dignen aceptar el pacto que con ella y por ella voy a formular en este momento."

En seguida se mojará en la misma pluma de Auca, y se escribirán sobre un trozo de pergamino nuevo las palabras siguientes.

PACTO DE SANGRE

"A vosotros, espíritus de Luz, Adonay, Eloim, Ariel y Jehovam. requiero y pido humildemente os sirváis concederme vuestros favores, dones, gracias y amistad, haciendo que en cuantas empresas ponga mano, se vea realizado mi deseo, en virtud de vuestra benevolencia, bendición y ayuda."

"Pido también que todos mis actos sean inspirados por vuestra suprema sabiduría, y que, al morir, sea mi espíritu recogido por celestiales mensajeros, y llevado a la presencia del Eterno Creador, Yo os ofrezco, si así lo hacéis, seguir humildemente vuestras buenas inspiraciones, procurar, por todos los medios, llegar a la suprema perfección, adquirir la mayor suma posible de sabiduría dentro de las facultades concedidas a la humana naturaleza, poniendo toda mi alma, corazón, vida, sentido y voluntad para poder llegar a

identificarme con la divinidad, en prueba de lo cual firmo y certifico.

FULANO."

Al finalizar el cuarto de luna llena y en horas de 10 a 12 de la noche, se hará la invocación a los gnomos y luego a los espíritus celestes superiores, según se expresa en la sección correspondiente a las invocaciones, pero los preparativos se seguirán en la forma que se indica en el capítulo siguiente.

CAPITULO II

CONTIENE LA VERDADERA COMPOSICIÓN DE LA VARITA MÁGICA, LLAMADA TAMBIÉN FÉRULA FULMINANTE

El día anterior de comenzar la grande empresa, iréis a buscar una varita o férula de avellano silvestre, a la que ningún ser humano haya tocado nunca. La longitud de la varita ha de ser exactamente de 19 pulgadas y media, y su forma, igual a la de la varita misteriosa; cuando tropecéis con ella, no haréis otra cosa que apreciarla con la vista, debiendo ir a cortarla precisamente al amanecer del día en que hayáis de comenzar la gran empresa.

Deberá cortarse la varita con la misma hoja que haya servido para sacrificar al cabrito virgen, la despojaréis de todo brote o pequeña rama que la esté impurificando.

La operación de cortar y limpiar la rama que haréis al levantarse el sol sobre el horizonte, la acompañaréis de las siguientes palabras:

"Yo os ruego ¡oh gran Adonay, Eloim, Ariel y Jehoram, que me seáis propicios y que le deis a esta varita, que yo he cortado la fuerza y la virtud de Jacob, de Moisés y del Gran Josué. Yo os ruego también, ¡oh gran Adonay, Eloim, Ariel y Jehovam. Yo os ruego comuniquéis a esta varita toda la fuerza de Sansón, la inmensa energía de Emmanuel y los rayos del gran Zariataurait, que vengarán las injurias de los hombres el gran día del juicio. Amén."

Después de haber pronunciado estas grandes y terribles palabras, con la vista dirigida a Levante, os llevaréis la varita a vuestro domicilio. En seguida buscaréis un pedazo de madera, con la que modelaréis dos pedazos de igual grosor que las puntas de la horquilla de la varita auténtica, procurando, no obstante, que éstas sean algo agudas. Estos dos pedazos de madera servirán de patrón o modelo, para que por ellos un cerrajero, al que debéis en persona encargar el trabajo, os haga dos casquetes con la hoja empleada para sangrar el cabrito virgen.

Ya en posesión de los dos casquillos, y encontrándose solo en la habitación preparada para los experimentos, los adaptaréis en seguida y con exactitud a los extremos de la horquilla de la varita mágica y con una piedra imán que a prevención habréis adquirido, daréis fuerza atractiva a los dos casquillos, diciendo al mismo tiempo las palabras siguientes:

"Por el poder del gran Adonay, Eloim, Ariel y Jehovam, yo te ordeno unas y atraigas todas las materias que yo quiera; por el poder del gran Adonay, Eloim, Ariel y Jehovam, yo te mando por la incompatibilidad del agua y el fuego, separar todas las materias como fueron separadas el día de la creación del mundo. Amén."

Después os regocijaréis en honor y gloria del Gran Adonay, pudiendo estar seguro de que poseéis vuestra varita mágica, vuestra piel de cabrito virgen, vuestra piedra hematina, tres guirnaldas de verbena, dos candeleros y dos cirios de cera virgen, que haréis bendecir por mano de una joven, sin mancilla.

También tomaréis un braserillo nuevo, dos piedras lavadas, un trozo de yesca para encender fuego, y cuatro clavos que hayan estado clavados en un ataúd de un niño. Con todo ello os persignáis en el lugar en que debe hacerse la gran obra, poniendo especial cuidado en realizar el gran círculo cabalístico, cumpliendo punto por punto las enseñanzas que se contienen en este tratado.

CAPITULO III

DEL MODO DE SERVIRSE DE LA VARITA MÁGICA Y DE LA FÉRULA FULMINANTE

El empleo de la varita mágica para el descubrimiento de tesoros ocultos, minas, corrientes subterráneas de agua y cuánto puede interesar al experimentador, se hará del modo siguiente:

Se colocará sobre la tierra y sin llegar a ella, el vértice o centro de la vara, sosteniendo las extremidades con las dos manos, una a cada lado.

Si pasados cinco minutos no se nota ninguna oscilación en la vara, se volverá al revés, o sea el vértice para arriba a fin de poder apreciar si se produce algún pequeño movimiento.

También puede usarse tomándola con una sola mano y colocando la punta paralela al horizonte. Así es como la usó frecuentemente un religioso prior de la antigua orden del Cister, el cual era tenido por muy hábil en el descubrimiento de tesoros, manantiales y otras muchas cosas ocultas en el seno de la tierra.

Las señales para conocer la existencia de aguas o minerales se notarán por una ligera oscilación de la varita, que se sentirá atraída hacia la parte donde haya corrientes o metales. De no haber nada de esto, la varita permanecerá en absoluto reposo, debiendo en este caso probar en otro lado.

CAPITULO IV
CAMPAÑAS DE LUCIFER

ARTES DIABÓLICAS QUE PUEDE PONER EN JUEGO PARA TENTAR Y DOMINAR A LAS PERSONAS

Este capítulo está dedicado a demostrar el gran poder que pueden desarrollar todos los espíritus, en la esfera de sus trabajos. Tomamos como norma una de las campañas de Lucifer, famosa en los anales de las ciencias mágicas, pero que igualmente podría haber sido ejecutada por otros de los espíritus que le prestan obediencia.

En la primera parte de este tratado se hace una ligera mención de la vida de San Cipriano, mas nada se dice de la causa que motivó el que llegara a adquirir un dominio tal en las artes mágicas, como pocos han logrado hasta la fecha.

No estará de más advertir que el Gran Cipriano, como se le llama en Antioquía, antes de dedicarse a las ciencias ocultas, gozaba fama universal como filósofo de talento privilegiado, lo cual era motivo para que las personas principales fueran a consultarle con frecuencia, teniendo en mucho aprecio sus opiniones y consejos.

Lucifer, que conocía lo mucho bueno que podía prometerse si lo atraía a su servicio, se propuso poner en juego sus grandes recursos para lograrlo, los cuales podrán apreciarse por el relato que damos a continuación.

Vivía Cipriano en una casa situada en el centro de un bosque próximo a la ciudad.

Una noche, y en ocasión de hallarse meditando sobre las obras maravillosas de la creación, fue interrumpido por el ruido que producían, con los aceros dos hombres que se hallaban al pie del bosque, luchando con gran furia.

Llevado de sus buenos sentimientos salió con objeto de ver si podía, por su mediación, evitar derramamiento de sangre, y llegando a los que combatían, les pidió antecedentes de la causa que había motivado el lance.

Cesaron éstos en su lucha ante la presencia de Cipriano; le manifestaron que la causa era hallarse los dos enamorados de una misma mujer, y que siendo íntimos amigos, habían determinado llegar a tal extremo, con objeto de que, muriendo el uno, quedara el otro libre para aspirar el cariño de la que adoraban.

Los dos eran jóvenes y de distinguidas familias. El uno se llamaba Flavio y el otro Lelio, siendo el primero hijo del Gobernador, y el segundo de la familia más principal de la ciudad.

Preguntóles Cipriano si la mujer a quien amaban mostraba preferencia por alguno, a lo que contestaron que, desgraciadamente, a todas sus solicitudes contestaba con evasivas, sin darles las más mínimas esperanzas.

—Siendo así — les dijo—, creo lo más acertado suspender esta lucha. Decidme quién es; yo iré a verla, le hablaré por los dos, y ella decidirá quién ha de ser preferido, debiendo conformarse el que quede desairado y ceder el campo a su venturoso rival. No hay tampoco razón -—añadió— para que sea violentada en sus sentimientos e inclinaciones.

Habiéndose convenido en aceptar la mediación de Cipriano, por hallarse muy ajustada a la razón, le manifestaron que la mujer deseada por ellos, se llamaba Celia, que era de modesta posición y residía en las afueras de la ciudad.

Cipriano, cumpliendo su promesa, se presentó al siguiente día en casa de Celia, quedando tan admirado de su belleza que le costó gran trabajo poderla expresar el objeto de su visita. Se ha de advertir que fue Lucifer el que influyó sobre Cipriano para que se enamorara perdidamente de Celia, con objeto de lograr, por este medio dominarle completamente.

Sin embargo, de la impresión que la vista de la joven le causara, procuró Cipriano llenar su cometido, y al efecto, le explicó lo ocurrido la noche anterior ocultando en lo posible la gran pasión que se había apoderado de su alma.

La negativa que ella dio, de no acceder a las pretensiones de ninguno, cosa que ya en otras ocasiones había manifestado a ellos, le animó a preguntarle si sería mejor acogido en el caso de ser solicitada por él, en vista de que para sus amigos no había ninguna esperanza.

— Ni para vos tampoco — le dijo —; he de agradeceros no forméis opinión de mí, a pesar de apreciar infinitamente vuestras deferencias y atenciones, me veo en el deber de rechazarlas.

Comprendiendo la inutilidad de nuevas tentativas, se despidió Cipriano, dándose a reflexionar cómo una mujer que vivía pobremente, podía rehusar unos partidos tan ventajosos como se le ofrecían, cuando otras damas nobles y ricas se habrían considerado muy honradas de verse solicitadas por cualquiera de ellos.

En estos pensamientos y calculando lo difícil que es conocer el corazón humano, llegó a su casa. Con objeto de distraerse y olvidarla, se puso a repasar algunas de las obras que tenía en su biblioteca.

Hallábase abstraído con un libro entre las manos, y sin poder coordinar ideas, cuando le anunciaron la visita de Celia.

— ¡Dioses inmortales! — exclamó — ¿Será posible que haya variado de pensamiento?

Y levantándose, lleno de temor y esperanzas salió a recibirla.

— ¡Mujer celestial! — la dijo — vuestra presencia en esta casa me colma de felicidad; dichoso yo, si puedo esperar que ésta sea eterna como el cariño que os profeso.

— ¿Qué estáis diciendo, mi buen amigo? ¿No os he manifestado que nada debías esperar? He venido tan sólo a consultaros para que me aconsejéis lo que he de haCer a fin de evitar que Flavio y Lelio se maten por mi causa. Espero que vuestro claro ingenio me ayudará en este lance; no puedo estar tranquila ante el temor de que ocurra una desgracia.

— ¿Y qué puedo hacer yo, ¡pobre de mí! si me hallo completamente trastornado por un amor que me llena el alma, y que, sin embargo, no tengo ninguna esperanza de ver satisfecho? Si al menos, me ofrecierais alguna ligera probabilidad, yo haría verdadero imposible por lograros; pero nada me prometéis y siento que mi vida se halla truncada por completo.

— Tened paciencia y prestadme vuestra ayuda; ¡quién sabe, mi buen amigo, lo que podrá suceder todavía!

— ¡Oh divina Celia! parece que vuestras palabras traen algún consuelo a mi corazón. Decidme si aún debo esperar y seré vuestro esclavo eternamente.

— Desechad ilusiones que no se han de ver realizadas; mi amor jamás podrá satisfaceros; y únicamente deberéis obtenerlo cuando sea llegada vuestra hora postrera. El destino lo quiere así.

— Sea yo dichoso. ¡Celia divina!, puesto que sintiéndome morir por vuestra causa forzoso es que tu cariño principie para mí desde este momento. Mas solicitas mi ayuda y he de intentar complacerte, procurando que Lelio y Flavio desistan de su empeño. Idos tranquila y dejadme solo con mis tristezas y mis fatigas.

No bien hubo salido Celia, cuando se presentó ante Cipriano un forastero, diciendo que extraviado en su camino, venía a pedirle hospitalidad, por aquella noche.

Mas os veo triste — añadió — y si puedo merecer, aunque soy extraño, vuestra confianza, me propongo remediar vuestras penas.

— Eso no es posible — contestó Cipriano — mis penas no tienen ya remedio en este mundo.

—Pues yo os aseguro lo contrario, y si queréis ver que es cierto lo que digo, os prometo hacer maravillas de tal naturaleza, que habrán de convenceros de que poseo un poder desconocido para vos.

— En ese caso, haced que al momento se presente aquí la persona a quien amo, y me demuestre su cariño de un modo vehemente y franco.

No bien acabó de formular su petición, cuando se presentó Celia en la habitación de Cipriano, y tendiéndole sus brazos le dijo:

—Aquí estoy, Cipriano, amado, mi cuerpo y mi alma te pertenecen eternamente. No sé qué encanto se ha apoderado de mí, que me atrae a ti de un modo irresistible.

Cipriano se abalanzó a tomar a Celia entre sus brazos, pero se halló en el vacío, desapareció en el acto la visión.

—¿Qué magia o hechizo es éste que de tal grado me hace perder el juicio? ¿Quién sois? ¿A qué habéis venido? —dijo con arrebato Cipriano, interpelando al forastero.

Este, que sonreía irónicamente viendo la confusión de ideas que en aquél se había operado, le contestó con gran tranquilidad:

— Fuera mejor que me preguntarais qué clase de ciencia es la que ejecuta tales prodigios; supongo que hallaréis fácil y hacedero lo que poco ha juzgabais imposible. Más os admiraría, sin embargo, observar que el bosque que rodea vuestra casa, ha desaparecido, y que la mar la baña ahora por sus cuatro costados.

Y llevándole a la ventana le hizo ver que era cierto lo que le había manifestado.

Al pie de la casa, pudo contemplar Cipriano un barco que luchaba entre las olas, y en el cual iban unos marineros remando con fuerza para evitar verse estrellados contra la pared. De pronto desapareció esta nueva ilusión y apareció en el aire, en forma celestial y completamente desnuda, la hermosa Celia, enviando besos a Cipriano y llamándole a su lado. Poco después principió una horrorosa tormenta, lanzando piedras, rayos y centellas en todas direcciones. El forastero tendió una mano hacia el firmamento y al momento cesó todo.

Poco después surgió de nuevo el bosque, según se hallaba anteriormente y se presentó un bello joven por los aires que, acercándose a la ventana, dijo con voz humilde:

— ¿Qué órdenes me dais señor? ¿Qué debo hacer?

No podía Cipriano volver de su asombro. Comprendió que el desconocido personaje poseía un poder sin límites. Se sentía subyugado y deseaba conocer el modo de producir tales maravillas.

Lucifer que él era en forma humana, leyendo los pensamientos que en la cabeza de Cipriano se agolpaban, le dijo así:

— Tú puedes hacer todo lo que has visto, pero para esto es preciso que adquieras los conocimientos necesarios. Si tienes fe y voluntad, yo te serviré de preceptor. Te entregaré un libro que es la ciencia de la naturaleza. El estudio de esta ciencia sólo se adquiere con la práctica de la verdadera magia, y su dominio se logra con paciencia y perseverancia. Sólo te exijo dos condiciones, que son: la primera, que has de entregarte a mí en cuerpo y alma, y la segunda, que durante un año no has de distraerte del estudio y prácticas que yo te haré conocer.

Cipriano, dominado completamente, tanto por su deseo de saber, cuanto por el ascendiente que sobre él ejercía el misterioso desconocido, le ofreció obedecerle ciegamente, con tal de que le pusiera en posesión de una tan poderosa ciencia.

Durante un año a partir de aquella fecha, nadie volvió a ver ni saber de Cipriano, pero a la terminación de este espacio de tiempo, se presentó de nuevo, ejerciendo tales prodigios, que llamaron la atención del mundo entero. Entonces fue cuando se empezó a denominar Cipriano el Mago. Algunos años después, ocurrió el suceso relatado al principio de este tratado, y al ir a sufrir el martirio se encontró con Celia y Justina, que como cristianas, fueron sentenciadas también. Celia le abrazó llorando y le dijo:

— Ahora puedo otorgarte mi amor como hermano mío en Jesús. He aquí cumplida mi profecía amado Cipriano, de que lograrías mi cariño en tu hora postrera. No podía ser de otro modo, puesto que como cristiana y esposa de Jesús, ya no me pertenecía. Pronto nos veremos en el cielo.

Dicho esto, se separaron para sufrir el martirio, que los había luego de juntar para siempre en la eterna mansión de los bienaventurados.

CAPITULO V
VÉRTIGO Y FASCINACIÓN

El vértigo puede considerarse como un mal inevitable cuando la persona que lo sufre se ve impulsada de modo irresistible a caer en el mismo, atraída por una fascinación sorprendente que hace perder todos los sentidos, y hasta el instinto de la propia conservación.

Es conveniente huir siempre de todos los precipicios y simas profundas; de subir a montañas que sean poco accesibles; de fijar demasiado la vista sobre las aguas de los ríos y de mirar al fondo, desde cualquier punto elevado en que uno se halle.

No es fácil poder explicar la sensación especial que siente la persona, si por cualquiera de las causas indicadas llega a sentirse fascinada. El abismo atrae, de tal modo, que no hay poder humano que la libre de caer en él.

La fascinación se produce en nosotros por la influencia de espíritus dañinos sobre nuestro cerebro, que en un momento paralizan nuestros músculos, nos hacen perder la cabeza y la vista, y nos impulsan a caer en el vacío.

El individuo que se halle en esta situación, debe, en primer lugar, retirar la vista, inmediatamente, del punto que contempla, cerrando un momento los ojos, para abrirlos en seguida, mirando únicamente, a los objetos que tenga a su lado. Hecho esto, deberá elevar su imaginación al Ser Supremo y a los espíritus de Luz, diciendo a la vez:

"Ángeles celestiales, venid a salvadme de este peligro".

Si logra hacer lo dicho, al momento recibirá la inspiración divina, para retirarse del abismo con pie seguro. Las cimas, precipicios y ríos con lugares muy concurridos por los malos espíritus, que obrando sobre nuestra imaginación, nos hacen víctimas de sus acechanzas.

También suele posesionarse de algunos animales inmundos, particularmente de las culebras, serpientes, etc., dotándolos de cualidades fascinadoras tan sorprendentes que no es raro ver cuan fácilmente atraen hacia sí con la mirada a muchos animales, y en particular a los pobres pajaritos, haciéndoles víctimas de su voracidad.

No terminaremos este capítulo sin indicar que otro de los efectos que la fascinación produce es el suicidio. La persona acometida de este vértigo no halla tampoco medio de substraerse a él. Su imaginación está preocupada constantemente con esta idea, haciéndose preciso, si quiere salvarse, substraerse a las influencias maléficas, lo logrará recurriendo a los espíritus celestiales en demanda de protección y ayuda.

Aunque parezca extraño, no es raro hallar individuos que teniendo fija en su imaginación la idea de matarse, resisten sin embargo meses y años sin ponerla en práctica. La razón de este fenómeno, es debida a que, si bien los espíritus del mal le sugieren continuamente ideas perversas ocultando su inteligencia para que no pueda substraerse a su influjo y haciéndole pensar en la muerte como término a sus penas; en cambio los gnomos y espíritus celestiales, tratan de contrarrestar sus efectos con benéficas sugestiones resultando de esta lucha, que sea vencido por una u otra influencia según el mayor o menor grado de perfección que posea.

Si su tendencia es mala, el resultado final es fatal, y si es buena, seguirá su salvación logrando substraerse de las incitaciones malignas.

CANDELA MÁGICA PARA DESCUBRIR ENCANTAMIENTOS

Si sabéis o habéis oído decir que existe algún tesoro encantado o escondido para encontrarle será necesario hagáis una gruesa vela de "sebo humano" colocándola en un agujero que hagáis en el centro de un trozo de madera de avellano, cortando en forma de herradura.

Si sabéis o habéis oído decir que existe una vela en el lugar donde buscáis el tesoro la llama os indicará, por su oscilación, y chisporroteo que os aproximáis a él apagándose cuando os halléis encima del objeto que buscáis.

TERCERA PARTE

MAGIA CALDEA O EGIPCIA FILTROS, ENCANTAMIENTOS, HECHICERÍAS Y SORTILEGIOS

CAPITULO I

ENCANTAMIENTOS PRODUCIDOS POR LAS VIRTUDES Y CUALIDADES DE LOS SAPOS

Esta clase de hechizos son muy fáciles de realizar, siendo según San Cipriano, los que tienen mayor poder sobre todos.

En el libro de su historia como hechicero, dice que el sapo tiene una gran fuerza mágica invencible, por cuanto al demonio tiene pacto con él, desde el momento en que es la comida que Lucifer da a las almas que están en el infierno.

Por esta razón pueden hacerse con el sapo los encantos y hechizos que a continuación expresamos,

HECHIZOS DEL SAPO CON LOS OJOS COSIDOS

Escoged un sapo de los mayores, que sea macho, si el hechizo es para hombre.

Después que lo tuviereis seguro, cogedle con la mano derecha y pasáoslo por debajo del vientre cinco veces diciendo, mentalmente las siguientes palabras:

"Sapo, sapito, así como yo te paso por debajo de mi vientre, así... (el nombre de la persona que se quiere hechizar) no tenga sosiego ni descanso, mientras no venga a mí de todo corazón y con todo su cuerpo, alma y vida."

Dichas estas palabras, se coge una aguja de las más finas y se enhebra con una hebrita de seda verde, cosiendo con ella los párpados de los ojos del sapo, teniendo mucho cuidado de no ofenderle en las niñas, pues de lo contrario, la persona a quien deseéis hechizar, quedaría ciega.

Se cose solamente el pellejo que rodea a los ojos de abajo a arriba, a fin de que el sapo quede con los ojos escondidos, pero sin haber sufrido daño alguno.

PALABRAS QUE SE DICEN AL SAPO DESPUÉS DE TENER LOS OJOS COSIDOS

"Sapo: por el poder de Lucifer, el príncipe de Belzebuth te cosí los ojos, que es lo que debía hacer a... (aquí se dice el nombre de la persona) para que no tenga sosiego ni descanso en parte alguna del mundo sin mi compañía y ande ciego para todas las mujeres (u hombres, según sea el sexo de la persona a quien se trata de hechizar). Véame únicamente a mí y en mí solo tenga su pensamiento.

"Fulano (pronunciese el nombre de la persona), aquí estás preso y amarrado sin que veas el sol ni la luna, hasta que no me ames. De aquí no te soltaré; aquí estás cautivo, preso, así como lo está este sapo. "

La olla o vasija en que se coloque el sapo ha de contener un poco de agua, la cual se irá renovando todos los días con otra fresca.

HECHIZO DE UN SAPO QUE TENGA LA BOCA COSIDA

Cójase un sapo[ix] bueno y grande y cósasele la boca con una hebra de seda negra, y después de que tuviere la boca cosida, díganse las palabras siguientes:

"Sapo: yo, por el poder de Lucifer, Belzebuth y Astaroth y por el de todos los espíritus infernales, te condeno, fulano (aquí se dice el nombre de la persona a quien se trata de encantar), a que no tengas en lo sucesivo una sola hora de salud, pues coloco tu vida dentro de la boca de este sapo, y así como él, irá falleciendo poco a poco y perdiendo la vida con la salud, así te sucederá a ti por el poder de Lucifer, de Belzebuth, de Astaroth y de todos los espíritus infernales."

Es preciso tener en cuenta que, si después de hecho el hechizo y cuando éste ha comenzado a surtir sus efectos, os arrepentís de él, lo podéis deshacer fácilmente, bastando para ello sacar el sapo fuera de la olla, descoserle la boca y darle a beber leche de vaca por espacio de cinco días.

Al sacársele de la olla, deberán decirse las palabras siguientes:

"Por el poder de Lucifer, de Belzebuth. de Astaroth y de todos los espíritus infernales, es mi voluntad que quede deshecho el hechizo que pesaba sobre Fulano... (aquí el nombre) y que recobre la salud mediante mis deseos, así como este sapo va a recobrarla mediante mis cuidados."

HECHICERIA DEL SAPO PARA HACERSE AMAR CONTRA LA VOLUNTAD DE PERSONAS Y PARA HACER CASAMIENTO

Supongamos que una enamorada desea casarse con su novio, o con la persona a quien quiere, aunque no lo sea, y sea cual fuere, dentro de un breve plazo, supongamos también que el individuo a quien la mujer quiere para casarse o para unirse a él, permanece, no ya solamente frío, sino, reacio por cuanto no desea el casamiento o la unión. Puede reducírsele y hacer que cambie, en primer término, sus ideas y después sus sentimientos, procediendo en la forma siguiente:

Tómese un objeto del enamorado o enamorada y átese envuelto en la barriga del sapo, y después de realizar esta operación, átense los pies del sapo, con una cinta roja metiéndole dentro de una olla u orza con tierra, mezclada con algo de leche de vaca. Después de practicadas todas estas operaciones, díganse las palabras que apuntamos a continuación, teniendo cuidado de colocar el rostro en la boca de la orza:

"Fulano (dígase el nombre de la persona) así como tengo este sapo preso dentro de esta olla, sin que vea el sol ni la luna, así tú no verás mujer alguna, ni casada ni soltera, ni viuda. Sólo habrás de fijar tu pensamiento en mí; y así como este sapo tiene las piernas amarradas, así se aprisionen las tuyas y no puedas dirigirlas sino hacia mi casa; y así como este sapo vive dentro de esta olla, consumido y mortificado, así vivirás tú mientras conmigo no te cases o unieres."

Dichas estas palabras se tapa la olla muy bien tapada para que el sapo no vea la claridad del día; después, cuando hayáis conseguido vuestro deseo, soltad al sapo, quitadle el objeto que rodeasteis a su barriga, sin hacerle daño, y cuidadle bien, teniendo entendido que. de otro modo, la persona sufriría las mismas molestias que el sapo. Esta operación, igual puede hacerse al hombre que a la mujer.

PARA HACER Y DESHACER UN MAL HECHIZO

Tómese un sapo negro y cósasele la boca con seda negra. Después átense, uno por uno, los dedos del sapo con hebras de lana, también negra, y formando una figura como de dos paracaídas y tomando la hebra principal de la lana, cuélguese en la chimenea de modo que el sapo quede con la barriga hacia arriba. A las doce en punto de la noche llámese al diablo (a Lucifer) a cada una de las campanadas del reloj, y después, dando vueltas al sapo, díganse las siguientes palabras:

"Bicho inmundo, por el poder del diablo, a quien vendí mi cuerpo y no mi espíritu, mandóte que no dejes gozar de una sombra de felicidad sobre la tierra a . . . (el nombre de la persona) . Su salud la coloco dentro de la boca de este sapo y así como él ha morir, así muera también... (el nombre) a quien conjuro tres veces en el nombre del diablo, del diablo, del diablo."

A la mañana siguiente métase el sapo en una olla de barro y tápese herméticamente.

Para deshacer los efectos de este hechizo, suponiendo que la persona sufriera demasiado por consecuencia del hechizo, saqúese el sapo de la olla y désele a beber leche fresca de vaca por espacio de siete días, después de haberle descosido la boca.

PARA HACER QUE UN HOMBRE NO GUSTE SINO DE SU MUJER O DE LA MUJER CON QUIEN VIVE O VICEVERSA

Escójase un sapo[x] hermoso y joven y cósansele los ojos con seda negra, teniendo cuidado — como ya queda indicado en las anteriores recetas — de no herirle en la pupila. Realizada la operación, precédase en la misma forma que en la receta anterior, substituyendo las palabras que en aquélla se proferían por las siguientes:

"¡¡Bicho inmundo!! En nombre del diablo, a quien vendí mi cuerpo, pero no mi alma, te cosí los ojos, cosa que hubiera de haber hecho con Fulano (aquí el nombre de la persona), para que... (ella o él) no guste de otra persona que de mí, y camine ciego para todas las demás mujeres u hombres."

Suspéndase después el sapo por la chimenea de la cocina, durante doce horas, metiéndole luego, si queda vivo, en una orza u olla de barro, herméticamente tapada.

Las palabras que se dirán al encerrar el sapo en la olla, serán las siguientes:

"Fulano... (el nombre de la persona) estás aquí preso y atado y no verás la luz del sol ni la de la luna hasta que no me ames con todo tu corazón. Quédate ahí, diablo, diablo, diablo."

En ésta como en las demás recetas en que nada se haya indicado, deberá diariamente refrescarse el agua que ha de tener el sapo.

RECETA PARA APRESURAR CASAMIENTOS

Cójase un sapo negro y amárrensele de la barriga dos cintas, una roja y otra negra, las cuales cintas habrán de servir para sujetar a dicha barriga un objeto de la persona a quien se quiera hechizar, y métasele al punto en una orza de barro, diciendo estas palabras:

"Fulano (el nombre de la persona), si amares a otra que no sea yo, o dedicares a otra tus pensamientos, el diablo, a quien confié mi suerte, te encerrará en el mundo de las aflicciones, en la misma forma que yo acabo de encerrar a este sapo, y de donde no saldrás como no sea para casarte conmigo."

Proferidas estas palabras, tápese bien la orza, refrescando al sapo diariamente con el agua que le es indispensable para su vida.

El día en que se ajustare el casamiento, se le pondrá en libertad, teniendo cuidado de dejarle cerca de un charco de agua y no maltratarle, pues de otro modo, el casamiento se realizará, sí, pero la vida se haría insoportable para ambos cónyuges.

PARA CAUSAR EL MAL DE OJO

Toma dos ojos de león macho y pónlos a orear a la luz de la luna, cuando esté en su cuarto creciente. Cuando estén bien oreados, ponlos en infusión con algunos granos de pimienta en una botella de vino blanco rancio, que dejarás al sereno, cuando la luna se halle en cuarto creciente. Una vez verificada la infusión citada, filtrarás el vino en un trapo finísimo y puro y le agregarás una cucharada de miel.

Después permanecerás encerrado en una habitación donde no penetre la luz durante veinticuatro horas, al cabo de las cuales beberás un cortadillo del brebaje, elevando tu espíritu y pronunciando estas palabras:

"Lucifer, Belzebuth. Astaroth. prestadme vuestro infernal poder contra. . . (aquí pronunciaréis el nombre de la persona a quien queráis causar el maleficio). Amén. "

Luego marcharás en su busca, con la mirada baja y procurando no mirar de frente a las personas a quienes no quieras causar mal y, al encontrarla, la mirarás de frente durante algunos minutos, exclamando mentalmente:

"Por vuestra virtud. Lucifer, Belzebuth, Astaroth. complace mi deseo! . . . Amén. "

Está probado que, realizada esta experiencia en la forma apuntada, la persona contra la cual los hayáis dirigido, sufrirá inmediatamente los efectos de vuestro maleficio.

RECETA PARA CONSEGUIR A UNA MUJER

Dice Cipriano que, ante todo, conviene estudiar el carácter c inclinaciones de la mujer que se pretende, a fin de regular la norma de conducta que ha de observarse en relación a los deseos que con ella quieran satisfacerse, es muy conveniente tener en cuenta que las mujeres se prendan mucho de la buena presencia y mejor porte de la persona que quiere obtener sus favores.

Observada esta primera condición, y después de haber declarado a la mujer que se desea, las intenciones que de amarla y servirla se tienen, tómese el corazón de un palomo virgen y désele a comer a una culebra; ésta, al cabo de más o menos tiempo, morirá.

Cuando esto suceda, córtesele la cabeza y seqúese a fuego lento o sobre una plancha de hierro caliente, y después de secar, redúzcase a polvo machacándola en un mortero o almirez, y después de haber agregado, al polvo que resulte, unas cuantas gotas de láudano, cuando quiera usarse, habréis de retregaros las manos con esta preparación, estrechando inmediatamente después las de vuestra amada.

RECETA PARA QUE LOS HOMBRES SE RINDAN A LOS DESEOS DE LAS MUJERES

Además de las indicaciones primeras que anotamos en la receta anterior, como es: estudiar el temperamento, genio o inclinaciones y aseo, la mujer procurará obtener del hombre que escogió, una moneda, una medalla, alfiler, el objeto o pedazo de objeto, con tal que sea de plata y que el hombre haya llevado encima lo menos por espacio de veinticuatro horas.

Obtenido esto, la pretendiente debe acercarse al hombre, teniendo en la mano derecha el objeto de plata y ofreciéndole con la otra una copa de vino, en la cual se habrá echado antes una píldora del tamaño de un grano de mijo, hecha con los siguientes ingredientes:

- Cabeza de anguila, una.
- Semilla de cáñamo, lo que quepa en las yemas de los dedos.
- Láudano, dos gotas.

Luego que, forzosamente, haya bebido el hombre de este vino, amará forzosamente también a la mujer que se lo propinó, no siéndole posible esquivarla mientras dure el encanto, cuyos efectos pueden renovarse siempre, sin inconveniente alguno.

Sin embargo, si el hombre fuese tan fuerte que resistiera el medicamento, o que éste no obrare con la prontitud y eficacia anheladas, la mujer debe invitarle a tomar chocolate, té o café, en el cual mezclará los ingredientes que a continuación se expresan:

- Canela en polvo, dos dedos.
- Dientes de clavo, cinco.
- Vainilla, cuarta parte de una vaina.
- Nuez moscada raspada, lo que quepa en las yemas de los dedos.

Inmediatamente, después de echar los dientes de clavo, se extraerán, substituyéndolos por dos gotas de tintura de cantáridas.

Cuando la mujer no tenga mucha prisa en asegurar y apoderarse del hombre, bastará la primera preparación indicada, sin apelar a la tintura de cantáridas.

No ocultaremos que el hombre, al saborear el té, café o chocolate, podrá apercibirse de que tienen un sabor algo extraño, lo cual — cuando la mujer sabe y quiere — podrá atribuir a causas ajenas al buen condimento de las substancias de referencia, como por ejemplo, a las adulteraciones que sufren los artículos en las tiendas, etc., etc.

Cuando la mujer — dotada generalmente de mayor penetración y perspicacia que el hombre — sospechare que éste se le escapa, bien porque otra se lo robe, o bien por haberla comenzado a mirar con recelo, primer escalón de la antipatía, si quiere retenerle y recobrar dominio sobre él, procederá en la forma siguiente:

Repetirá el medicamento cada quince días, y, en los intervalos, convidándole a almorzar o a comer, le dará:

En el almuerzo, una tortilla preparada en la siguiente forma: bátense los huevos muy bien batidos, agregándoles dos gotas de tintura de cantárida, y échense abajo los huevos ya batidos de una fuente a otra, diciendo: *"pase este fuego que me devora al corazón de... como estos huevos pasan de una fuente a otra."* Repetida esta operación por tres veces, se hace la tortilla y se sirve caliente.

En la comida le daréis de comer albondiguillas, teniendo cuidado de redondearle una por una en el cuerpo sudando, pasarlas luego por el pecho y el vientre reteniéndolas un instante debajo del sobaco. Luego le servirás palomos vírgenes, asados y golondrinas fritas.

En ambas comidas le obsequiaréis con una taza de buen café colado por el faldón de una camisa, con la cual debe haberse acostado la mujer por lo menos dos noches.

CONTRA EL AMOR

Si queréis dejar de amar a una persona indigna de vuestro cariño, tomad el filtro siguiente: el lunes, cuando la luna esté en menguante, a media noche, luego que el gallo con su canto haya ahuyentado a los espíritus infernales, salid de casa y dirigios a la orilla de un riachuelo, de un estanque o del mar, meted en sus aguas los pies desnudos, y luego, con éstos húmedos, todavía recogeréis tres flores de circe, diciendo al coger cada una: *"Phebus geneoen te remedio amores internos."* Volveos después a casa antes que el gallo vuelva a cantar y meteréis las tres flores en una redoma con media cucharada de buen vinagre blanco, y colocaréis, por espacio de trece noches, esa redoma en una ventana, a la influencia de los astros y durante este tiempo haréis un ayuno "extremadamente riguroso y os abstendréis de tomar licores fermentados u otros; el día trece meteréis en la redoma tres cucharadas de miel cogida en otoño y añadiréis un vaso grande de agua de aquella que se halle cercana al sitio en donde cogisteis las flores, y todas las mañanas, en ayunas, tomaréis este filtro pronunciando con toda vuestra fuerza de voluntad las palabras mágicas antes citadas y luego procuraréis encontrar a la persona que amáis, y sin mirarla ni tocarla, disputaréis con ella y cesaréis de amarla.

CONTRA FILTROS

Cualquier persona que ame a otra por la influencia de algún filtro, que tome a dos manos la misma camisa que haya llevado durante sus amores; métase por la cabeza y la manga derecha y al punto se verá libre del maleficio.

CAPITULO II

ENCANTAMIENTOS PRODUCIDOS POR LA SEMILLA DEL HELECHO Y SUS PROPIEDADES

Son en extremo maravillosos los encantos que se producen por medio de la simiente del helecho; como más adelante se verá; siempre que se observen, para cogerla, las prescripciones que establecían los antiguos magos, y particularmente San Cipriano.

En la verbena de San Juan, al dar las primeras campanadas de las doce colocaréis una toalla o un paño de lino blanco, debajo de una mata de helecho que ya debéis de haber elegido de antemano y bendecido en el nombre del Padre, del Hijo y del Espíritu Santo para que el demonio no pueda apoderarse de la planta.

Realizadas estas operaciones que pudieran llamarse previas, trazaréis un círculo determinado alrededor del helecho, colocando dentro de él a las personas que acudan a esta ceremonia.

Colocadas dentro de dicho círculo, las personas^ que pretendan la simiente del helecho, deben decir la *"Letanía"* en voz alta para obligar al diablo a que se retire, el cual es indudable que pretenderá asustar a los concurrentes para que no consigan su propósito: pero al escuchar la letanía, que será precisamente la de los santos, todos los demonios se retirarán de aquel paraje.

Terminada la letanía se procederá al reparto de las simientes proporcionalmente a cada una, sin que haya disputas ni contiendas, pues de otro modo, la simiente perderá toda su virtud.

PALABRAS QUE TODOS DEBEN DECIR MIRANDO FIJAMENTE A LA SIMIENTE DEL HELÉCHO

"Simiente de helecho, que en la verbena de San Juan fuiste cogida a la media noche en punto. Fuiste obtenida y caíste encima de un talismán). Por lo cual debes servirme para toda suerte de encantamientos, y así como Dios es el punto divino de Jesús, y Jesús es el punto humano de San Juan, así también, toda persona por quien tú fueres tocada, se encante conmigo.

"Todo esto será cumplido por el gran Dios Omnipotente, por quien yo... (aquí se dice el nombre de la persona que hace la invocación) te cito y emplazo que no me faltes por la sangre derramada por Nuestro Señor Jesucristo y por el poder y virtud de María Santísima, que sea conmigo y contigo. Amén."

Al final de estas palabras rezarás el credo en cruz sobre la simiente, haciendo al terminar, la cruz sobre aquélla (sobre la simiente).

De este modo queda la semilla con todo su poder y virtud pasándola después por una pila de agua bendita.

Hecho todo esto, las semillas se meterán en frasquitos, tapándolas muy bien.

EXPLICACIONES DE LAS VIRTUDES Y MARAVILLAS DE QUE ESTA DOTADA LA SEMILLA DEL HELÉCHO

1a. Toda persona que obtuviere esta semilla sí tocare con ella a otra persona, con mala intención, pecará mortalmente por el motivo de servirse con un instrumento divino para hacer ofensas contra la humanidad, así como tocar a una mujer casada o soltera para conducirla a cualquier parte con intención pérfida.

2a. Incurre en pena de excomunión cualquier persona que tocare con esta semilla a un semejante suyo, con el objeto de paralizar su acción en asuntos o negocios.

3a. La simiente tiene la virtud contra cualquier espíritu maligno que se haya posesionado de una persona que no sea grata. para lo cual bastará con tocarla con dicha simiente, poniendo toda su fe en Nuestro Señor Jesucristo.

4a. Tocando con ella, con la misma fe, a una persona que se encontrare enferma, ésta sanará, sea cual fuere la enfermedad que padeciese.

5a. La semilla tiene la eficacia de defendemos del enemigo común y de sus astucias, trayéndonos nuestro verdadero conocimiento.

6a. La simiente tiene la virtud oculta y que obra mediante un poder casi divino, obrando en la forma siguiente: supongamos que una joven simpatiza con un individuo determinado, pero no con nosotros. Es muy sencillo hacer que dicha joven simpatice con aquel con quien antes no simpatizaba. En este caso se procederá en la forma siguiente: cuando estuviereis hablando con ella, tocadla con tres granos de la semilla que nos ocupa, y la habréis hechizado para lo sucesivo.

7a. Cuando quisierais que una persona os siga, tocadla con la simiente y os seguirá al fin del mundo, y cuando quisierais que os dejara de seguir, volvedla a tocar en la misma forma.

8a. Son tantas las propiedades y virtudes que tiene esta semilla, que sólo una persona que la posea podrá informaros.

CAPITULO III

PARA OBTENER LA PROTECCIÓN Y AYUDA DEL DEMONIO SIN HACER PACTO CON ÉL

MAGIA DE LAS HABAS

Matarás un gato negro, precisamente un sábado, al dar la primera campanada de las doce y lo enterrarás en un terreno cercano a tu casa, después de haberle metido una haba en cada ojo, otra debajo de la cola y otra en cada oído. Hecho todo esto, cubres de tierra al gato y ve a regarle todas las noches, al dar la media noche, con muy poca agua, hasta que las habas hayan brotado y estén maduras. Cuando esto suceda, corta la mata y llévatela a tu casa; pon luego las habas a secar para hacer uso de ellas cuando te pareciere. Colocada una haba en la boca, tiene la virtud de hacerte invisible y por tanto, puedes penetrar en cualquier lugar sin ser visto. Colocándotela en la palma de la mano izquierda y apretándola con el dedo del corazón, y ordenando al diablo que se te presente, éste se te presentará poniéndose incondicionalmente a tus órdenes.

Ten presente que cuando fueres a regar las habas se te aparecerán muchos fantasmas con el fin de asustarte y de impedir tu intento La razón de esto es muy sencilla; no le agrada al demonio ponerse al servicio de nadie, si antes no se ha entregado a el en cuerpo y alma. No te asustes, por tanto, cuando se te presentare, por cuanto no puede hacerte mal. para lo cual debes hacer, ante todo, la señal de la cruz y rezar un credo.

MAGIA DE UN HUESO DE LA CABEZA DE UN GATO NEGRO

Pon a hervir un caldero de agua con leña de vides blancas y de sauce, y cuando vaya a romper el hervor mete dentro de ella un gato negro, vivo, dejándole cocer hasta que se aparten los huesos de la carne[xi].

Realizada esta operación, sácanse todos los huesos con un paño de hilo y colócase la persona que está haciendo esta suerte delante de un espejo, metiéndose hueso por hueso en la boca hasta que la imagen de la persona que realiza esta operación desaparezca del espejo, lo que supondrá que ese es el hueso que tiene la virtud de hacer invisible a la persona que lo llevare en la boca. Cuando quisiereis ir a alguna parte sin ser visto os meteréis el hueso en la boca y diréis:

"Quiero estar en tal parte por el poder de la magia negra."

Es de advertir que no hay necesidad de introducirse en la boca todo el hueso para hacer la prueba del espejo, basta apretarte un poco con los dientes.

OTRO ENCANTO POR VIRTUD DE GATOS NEGROS

Cuando un gato negro estuviere con una gata del mismo color, unido para realizar el coito, preparaos de una tijera y cortad un puñado de pelos de ambos.

Después los reuniréis y los quemaréis con romero del norte, y en unión de la ceniza lo pondréis dentro de un frasco de vidrio con unas cuantas gotas de espíritu de sal de amoníaco, tapando bien el frasco para que se conserve el espíritu siempre fuerte.

Una vez hecha la preparación, cogeréis el frasco con vuestra mano derecha y diréis las siguientes palabras:

"Ceniza que por mis propias manos fuiste quemada y que con una tijera de acero fuiste del gato y de la gata cortada, toda persona a quien te diere a oler, quede encantada. Esto por el poder de Dios y de María Santísima, su madre. Y así Dios dejará de ser Dios y esto

me faltare, tú te verás trastornado o muerto, mutilado o tuerto."

Cumplida esta ceremonia, reconcentra toda tu fuerza de voluntad en el frasco a fin de que adquiera todo el poder mágico que deseares, y cuando llegare la ocasión, se lo das a oler cual si fuera una agua olorosa, a la persona a quien quisieras encantar. la cual se doblegará a tu voluntad como la caña se doblega al viento.

PARA VENGARSE DE UNA PERSONA Y CAUSARLE MAL

Cuando quieras vengarte de un enemigo declarado y que él ignore tu venganza, puedes hacer lo siguiente:

Atarás en un gato negro que no tenga un solo pelo blanco, en las patas traseras, lo mismo que en las delanteras, una soga de esparto.

Realizada esta operación, llevarás el gato amarrado en la forma indicada a algún bosque o encrucijada de las más solitarias que pudieres hallar, y allí dirás lo siguiente:

"Yo... (aquí debe decirse el propio nombre), de parte de Dios omnipotente, mando que se me aparezca el demonio, so pena de desobediencia a los preceptos superiores. Yo por el poder de la magia negra liberal, te mando ¡o demonio!. Lucifer o Satanás, que te metas en el cuerpo de. . . (aquí se dice el nombre de la persona a quien se desea hacer mal), y asimismo te ordeno, en nombre de ese mismo Dios omnipotente, que no te

retires de su cuerpo mientras yo no tenga nada que ordenarte y me hagas todo aquello que yo deseo y consiste en . . . (aquí se dice lo que se desea que haga el demonio) .

"Oh, gran Lucifer, emperador de todo lo que es infernal, yo te prendo y te detengo, y te amarro en el cuerpo de. . . (Fulano) en la misma forma que tengo preso y amarrado a este gato negro. Con el fin de que hagas todo cuanto quiero te ofrezco este gato negro, y que te entregaré cuando hubieres realizado mis mandatos."

Cuando el demonio haya desempeñado su obligación acudes al sitio en que hiciste el conjuro y lo dices dos veces consecutivas: *"Lucifer, Lucifer, aquí tienes lo que te prometí"*, y seguidamente sueltas al gato.

MANERA DE OBTENER DOS DIABLILLOS CON LOS OJOS DE UN GATO NEGRO

Matarás un gato negro que no tenga ni un solo pelo blanco o gris, y después de haberle sacado los ojos, los meteréis dentro de dos huevos puestos por una gallina negra, teniendo cuidado de que cada ojo quede separado en cada huevo.

Después de hecha esa operación los meteréis, perfectamente escondidos dentro de una pila de estiércol de caballo, advirtiendo que es de necesidad que el estiércol esté y se conserve bien caliente mientras se generan los diablillos.

Dice San Cipriano, que debe irse todos los días junto al montón de estiércol durante un mes, que es el tiempo que tardan en nacer los diablillos.

En la visita que diariamente debe hacerse al estiércol que encierra ambos huevos, en los cuales se estarán engendrando los diablillos, deberán decirse las siguientes palabras a manera de oración:

¡Oh gran Lucifer! Yo te entrego estos dos ojos de un gato negro, para que tú, mi grande amigo Lucifer, me seas favorable en la súplica que hago a tus pies. Mi gran ministro y amigo Satanás, vuestro poder, eficacia y astucia con que te dotó el Ser Supremo, que en vos entrego la magia negra para que pongáis en ella todo vuestros dedicáis al daño y perjuicio de los humanos, pues a vos confío estos dos ojos de un gato negro para que de ellos nazcan los diablillos, que me habrán de acompañar eternamente. Entrego mi magia negra a María Pandilla, a toda su familia y a todos los diablos del infierno, mancos, ciegos y tullidos, para que de aquí nazcan dos diablillos que me suministren dinero, porque yo quiero dinero por el poder de Lucifer, mi amigo y compañero de ahora en adelante.

Haced cuanto queda dicho, y al fin de un mes, día más, día menos, os nacerán dos diablillos que tendrán la figura de un lagarto pequeño. Una vez realizado el nacimiento, ponedlos dentro de un canuto de marfil o de boj y les daréis de comer limadura de hierro o de acero.

Cuando estuviereis ya en propiedad de estos engendros del infierno, podréis realizar cuanto quisiereis, y, por ejemplo, si queréis dinero, bastará abrir el canuto y decir: *"quiero dinero",* cosa que se os aparecerá inmediatamente, pero con la condición única de que con él no podréis dar limosna a los pobres, ni tampoco mandar decir misas, por ser dinero, procedente del demonio.

CAPITULO IV
HECHIZOS POR MEDIO DE UN MURCIÉLAGO

El murciélago ha sido uno de los animales que emplearon los magos primitivos para encantar a las personas.

Cuando quisieres servirte de él, lo harás en la siguiente forma y para los casos que se indicarán.

PARA HACERSE AMAR

Supongamos que una joven o una señora cualquiera desea casarse con una persona determinada, lo más brevemente posible; pues debe obrar en la forma siguiente:

Proporciónese un murciélago y pásele por los ojos una aguja enhebrada en un hilo fuerte.

Realizada esta operación, tanto la aguja como el hilo, han adquirido fuerzas de hechizo y se emplearán dando cinco puntos en forma de cruz con ella, en un objeto que pertenezca a la persona a quien se quiere encantar, pronunciando las siguientes palabras:

"Fulano o fulana (se dirá el nombre), yo te hechizo por el poder y fuerza de Luzbel, Belzebuth y Astaroth, para que tú no veas ni el sol ni la luna, en tanto que no te casares conmigo. Por tanto, te conjuro a que lo hagas en el improrrogable plazo de ocho días, so pena de apelar a otros hechizos más poderosos. Luzbel, Belzebuth, Astaroth, confirmad mi deseo y obligad a . . . (aquí se dice el nombre) a que se subyugue en el cuerpo y alma a los míos."

Ejecutado todo esto y hechizada la persona, ésta no tendrá un punto de sosiego, ínterin no se una a aquella que produjo el hechizo.

Si más adelante no quisieras unirte a la persona a quien hechizaste, debes quemar el objeto con que se hizo el hechizo.

OTRA FORMULA PARA HACER LO PROPIO

Matad dos murciélagos, macho y hembra, de manera que podáis aprovechar su sangre, la cual mezclaréis, agregándole unas cuantas gotas de espíritu de sal amoníaco, metiendo todo esto en un frasco de vidrio de dimensiones cómodas, a fin de que siempre podáis llevarlo en el bolsillo.

Cuando deseareis hechizar a una joven lo mismo que cuando ésta quiere hechizar a un hombre, es suficiente con darles a oler el contenido del frasco.

HECHIZO QUE PUEDE HACERSE CON MALVAS COGIDAS EN UN CEMENTERIO O EN EL ATRIO DE UNA IGLESIA

Cójanse tres matas de malvas, llevándolas consigo y poniéndolas debajo del colchón de la cama en que se duerme diciendo todos los días al despertar:

"Fulano"... (dígase el nombre de la persona contra quien se dirige el hechizo), así como estas malvas fueron cogidas en el cementerio y debajo de mí están metidas, así quedarás tu preso por el poder de Lucifer y de la magia, y sólo cuando los cuerpos del cementerio de la iglesia vieren y hallaren estas malvas, que crecieron por la virtud de sus grasas, es cuando me habrás de dejar."

Estas palabras deberán repetirse con fuerza de voluntad durante nueve días consecutivos, a fin de que produzca el efecto que se desea.

EXPLICACIÓN NECESARIA

Habiendo llegado felizmente al término de este trabajo, considero un deber manifestar a mis lectores que he procurado, en lo posible, ceñir mi trabajo al sentido y letra del original alemán.

Hay, sin embargo, algunas palabras cabalísticas que me son completamente desconocidas, las cuales he tratado de interpretar, buscando la relación de las mismas con las anteriores y posteriores.

Se ha de tener presente que se trata de una obra antiquísima, escrita en idioma bastante diferente del moderno alemán.

No he de terminar ésta sin expresar mi extrañeza al ver que, en una obra escrita al parecer por espíritus infernales, pueda tratarse de los espíritus celestes con muestra de adoración y respeto.

Esto debe demostrar que nada existe que no se halle supeditado o la divinidad, cuyos secretos arcanos son los que no alcanzamos a descifrar nosotros.

Van también incluidas en el texto algunas citas relacionadas con la ciencia moderna que se hallaban escritas al margen, y pareciéndome sería útil su conocimiento, no he creído conveniente suprimirlas.

Rituales a San Cipriano de Antioquía

En la actualidad, a San Cipriano de Antioquía es el patrono de magos y brujas y se lo venera como santo protector contra hechizos, males, y brujerías.

El milagroso mártir, que sacrificó su vida por Dios, es capaz de ayudar a todo aquel que le implore y pida por su protección.

Los más fieles devotos recurren a San Cipriano para deshacer brujerías, hechicerías y trabajos de magia negra o para solucionar problemas de salud espiritual.

También le suelen rezar con mucha fe para pedir protección en contra de los enemigos, peligros y demonios.

Es considerado el Santo más generoso en cuanto al dinero y la prosperidad, también se le puede pedir, mediante oraciones, que obre en los milagros necesarios para resolver cualquier problema de dinero por el que se esté atravesando. Si se le reza con fe, él brindará su ayuda incondicional.

Los fieles también suelen hacerle peticiones relacionadas con el amor, bien sea para atraerlo, recuperarlo o para solucionar conflictos de pareja. En este caso, se aconseja rezar diversas oraciones dedicadas a él, con humildad y credibilidad, para que las peticiones sean cumplidas.

San Cipriano de Antioquía es un santo al que se le puede pedir con plena confianza.

Sus fieles, afirman que, si se le reza con desesperación, él ofrecerá una respuesta inmediata, que el siempre cumple y sus oraciones son muy poderosas.

Si estas buscando un libro, te recomendamos "Oraciones a San Cipriano" de Ed. Santa Bendición.

Ofrendas y ritos

Las ofrendas más habituales para agradecer las bendiciones, son las velas moradas, los inciensos de diversos aromas y copas de agua o vino.

Día de San Cipriano

La fiesta de San Cipriano, según el santoral católico, solía celebrarse en el rito romano el día 26 hasta que fue retirada del calendario litúrgico en 1969, debido a la falta de evidencia histórica.

Los católicos más tradicionalistas, sin embargo, siguen celebrando la memoria de estos mártires con una conmemoración en su fiesta de *"Sts Isaac Jogues, John de Brebeuf and Companions, Martyrs"* (los mártires de Norteamérica) cada 26 de septiembre.

Además, se tiene la creencia que el día más apropiado para invocar a San Cipriano es el día sábado, ya que, su energía vibra mucho mejor en ese día de la semana.

Cabe señalar, que en España se encuentran varios templos de culto a San Cipriano y Santa Justina como la antigua iglesia de la cueva de Salamanca, la capilla a San Ciprán situada San Pedro de Tomeza o la ermita de San Cebrià i Santa Justina en Barcelona.

Color con el que se relaciona al Santo mago

El color púrpura o morado suele ser el color con el que se le relaciona a San Cipriano de Antioquía. Esto se debe, sobre todo, a su habilidad para romper maleficios y brujerías. De hecho, el color púrpura contribuye de manera efectiva con la trasmutación de las energías negativas.

Sin embargo, es posible invocarlo mediante las luces de otros colores que vibren con mayor intensidad según la petición que se esté realizando.

Hemos realizado este libro con mucho amor.

Si te ha gustado por favor deja una reseña en la tienda donde lo has adquirido, tu opinión es muy importante y nos ayudará.

NOTAS

[i] Son infinitos los casos de personas que han quedado mudas, sordas, ciegas o teniendo otros padecimientos por esta causa,
[ii] La cruz es un amuleto que inutiliza en absoluto la operación mágica mejor preparada.
[iii] Limpio y purificado quiere decir que sea digno y que esté iniciado en el Arte y se haya perfumado y vestido debidamente.
[iv] Esta operación es la obra de una voluntad y energía que domina en absoluto sobre otra persona cuyo fenómeno es conocido en la ciencia moderna por "sugestión" y ''magnetismo" y en las "Artes Mágicas" por "encanto" o "hechizo".
[v] A este efecto mencionaremos el siguiente caso descrito por un viajero inglés que fue testigo presencial. Un jefe árabe oponía a los disparos de los fusiles sus amuletos y éstos no disparaban, aun cuando caía el gatillo. Apuntaban a otro lado y entónese salía el tiro con gran estrépito.
[vi] Véase el capítulo siguiente que trata de "lo infinito".
[vii] Llámase también piedra "emotilla" o "hematina", con cuyos nombres se menciona en muchos tratados de magia.
[viii] Véase en la primera parte, capítulo IV. Ceremonia que deberá usar el que haya de principiar la iniciación.
[ix] Tanto en este hechizo como en el anterior, el sexo del sapo deberá ser el mismo a que pertenece la persona contra quien se hace el hechizo.
[x] Ya hemos dicho que si el hechizo es para un hombre, el sapo deberá ser macho, y si para una mujer, hembra.
[xi] Deberá tenerse el gato metido en un saco o en una cesta bien atada para zambullirlo.

Made in United States
Troutdale, OR
04/20/2024